à vous de lire

1

textes proposés et annotés
par
Philippe Greffet et Louis Porcher

ISBN 2.01.012292.5

Avant-propos

Les textes rassemblés ici sont des classiques de la littérature française. Cela correspond, de notre part, à un choix délibéré. Il n'est pas question pour nous de dire que seuls valent les grands classiques. A l'inverse, il nous paraît tout à fait inacceptable de vouloir écarter ces œuvres célèbres de la pédagogie du « français langue étrangère ». Ce que nous proposons ici n'est donc ni une anthologie de la littérature française ni une présentation de la richesse et de la diversité de celle-ci.

Ce sont simplement des œuvres qu'on ne peut pas ne pas avoir lues si l'on veut commencer à connaître notre littérature. Il ne suffit cependant pas de les lire pour parvenir à ce but. Les textes retenus sont classiques à plusieurs égards : leurs auteurs, qui comptent parmi les plus grands écrivains français, leur écriture, leur notoriété propre. Il s'agit, en effet, d'œuvres très connues, maintes fois publiées et citées, disponibles d'ailleurs en livres de poche. Tel est justement notre choix : ne pas chercher l'originalité pédagogique, le peu connu, mais, au contraire, rassembler des pièces de réputation ancienne, incontestées. Et, précisément, elles sont regroupées ici pour la commodité de la lecture ou de l'enseignement/apprentissage. En un seul volume se trouvent ainsi disponibles une dizaine de textes d'auteurs différents, tous de grande légitimité.

C'est donc le lecteur qui est sollicité, son plaisir et sa liberté. Qu'il soit apprenant, enseignant, le choix lui appartient en dernier ressort, pour l'irremplaçable goût de la lecture.

Nous nous sommes bornés à des textes courts, contes ou nouvelles essentiellement. Ils sont restitués dans leur intégralité, et, aussi, comme on le verra, dans leur nudité. Ils ne sont accompagnés d'aucun commentaire. Le texte et le lecteur construisent à deux, librement, leur plaisir.

Les notes ont un objectif uniquement instrumental ; elles fournissent une simple aide à la lecture, chaque fois que cela nous a semblé nécessaire. Elles sont le plus souvent lexicales (définition de mots devenus rares par exemple), parfois aussi grammaticales ou stylistiques, et visent toujours à la simplification pour une meilleure compréhension du lecteur. Il arrive enfin qu'elles donnent une information (de type historique ou géographique par exemple) quand le texte contient des allusions à des événements ou situations implicites.

Au total, donc, ces notes ont été réduites au maximum, pour ne pas briser le plaisir de la lecture mais au contraire pour y contribuer.

D'autres genres littéraires auraient pu être choisis, et d'autres textes dans les mêmes genres. Il fallait bien commencer et tout n'est pas faisable d'un coup. D'autres volumes suivront, de nouvelles encore, de poésie, de romans, de théâtre. Ils seront toujours construits selon les mêmes principes et modalités : littérature classique, sans exégèse, avec de brèves facilitations de la lecture. Pour votre plaisir et votre usage.

Les cassettes enfin, pour le goût de l'écoute et du sonore, fournissent à chacun la possibilité d'aller de l'oral à l'écrit, à son gré, selon ses envies et ses nécessités.

Ph. G. et L. P.

Charles Perrault

Né en 1628, mort en 1703. Perrault est l'auteur des plus célèbres contes français.

Peau-d'Âne, Cendrillon, La Belle au bois dormant, Le Petit Chaperon rouge, Barbe-bleue, Riquet à la houpe, Le Petit Poucet, etc. A eux tous, ils composent les *Contes de ma mère l'Oye,* publiés en 1697, sous le règne de Louis XIV, et ont connu aussitôt un énorme succès. Ils ont donné lieu à de multiples adaptations : films, chansons, dessins, ballets... *Le Chat botté* est l'un de ces « contes du temps passé » comme *Le Petit Chaperon rouge.*

Le Chat botté

Un Meunier ne laissa pour tous biens à trois enfants qu'il avait, que son Moulin, son Ane, et son Chat. Les partages furent bientôt faits, ni le Notaire, ni le Procureur[1] n'y furent point appelés. Ils auraient eu bientôt mangé tout le pauvre patrimoine. L'aîné eut le Moulin, le second eut l'Ane, et le plus jeune n'eut que le Chat.

Ce dernier ne pouvait se consoler d'avoir un si pauvre lot : « Mes frères, disait-il, pourront gagner leur vie honnêtement en se mettant ensemble ; pour moi, lorsque j'aurai mangé mon Chat, et que je me serai fait un manchon[2] de sa peau, il faudra que je meure de faim. »

Le Chat qui entendait ce discours, mais qui n'en fit pas semblant, lui dit d'un air posé et sérieux : « Ne vous affligez point[3], mon maître ; vous n'avez qu'à me donner un Sac, et me faire faire une paire de Bottes pour aller dans les broussailles, et vous verrez que vous n'êtes pas si mal partagé que vous croyez. »

Quoique le maître du Chat ne fit pas grand fond[4] là-dessus, il lui avait vu faire tant de tours de souplesse, pour prendre des Rats et des Souris : comme quand il se pendait par les pieds, ou qu'il se cachait dans la farine pour faire le mort, qu'il ne désespéra pas d'en être secouru dans sa misère.

Lorsque le Chat eut ce qu'il avait demandé, il se botta bravement, et mettant son sac à son cou, il en prit les cordons avec ses deux pattes de devant, et s'en alla dans une garenne[5] où il y avait grand nombre de lapins. Il mit du son et des lacerons[6] dans son sac, et s'étendant comme s'il eut été mort, il attendit que quelque jeune lapin, peu instruit encore des ruses de ce monde, vînt se fourrer dans son sac pour manger ce qu'il y avait mis.

A peine fut-il couché, qu'il eut contentement ; un jeune étourdi de lapin entra dans son sac, et le maître Chat, tirant aussitôt les cordons, le prit et le tua sans miséricorde.

1. **Ni le Notaire ni le Procureur :** aucun homme de loi.
2. **Un manchon :** une pièce de fourrure dans laquelle on enfonce les mains pour les protéger du froid.
3. **Ne vous affligez point :** ne soyez pas triste.
4. **Ne fit pas grand fond là-dessus :** ne le crut pas.
5. **Garenne :** endroit où les lapins vivent.
6. **Lacerons :** salades (ce mot n'est plus employé).

Tout glorieux de sa proie, il s'en alla chez le Roi et demanda à lui parler. On le fit monter à l'Appartement de Sa Majesté, où étant entré, il fit une grande révérence au Roi, et lui dit : « Voilà, Sire, un Lapin de garenne que Monsieur le Marquis de Carabas (c'était le nom qu'il lui prit en gré[7] de donner à son Maître), m'a chargé de vous présenter de sa part. — Dis à ton Maître, répondit le Roi, que je le remercie, et qu'il me fait plaisir. »

Une autre fois il alla se cacher dans un blé, tenant toujours son sac ouvert, et lorsque deux Perdrix y furent entrées, il tira les cordons, et les prit toutes deux. Il alla ensuite les présenter au Roi, comme il avait fait le Lapin de garenne. Le Roi reçut encore avec plaisir les deux Perdrix, et lui fit donner pour boire.

Le Chat continua ainsi pendant deux ou trois mois à porter de temps en temps au Roi du Gibier de la chasse de son Maître. Un jour qu'il sut que le Roi devait aller à la promenade sur le bord de la rivière avec sa fille, la plus belle Princesse du monde, il dit à son Maître : « Si vous voulez suivre mon conseil, votre fortune est faite : vous n'avez qu'à vous baigner dans la rivière à l'endroit que je vous montrerai, et ensuite me laisser faire. »

Le Marquis de Carabas fit ce que son Chat lui conseillait, sans savoir à quoi cela serait bon. Dans le temps qu'il se baignait, le Roi vint à passer, et le Chat se mit à crier de toute sa force : « Au secours, au secours, voilà Monsieur le Marquis de Carabas qui se noie ! » A ce cri le Roi mit la tête à la portière, et reconnaissant le Chat qui lui avait apporté tant de fois du Gibier, il ordonna à ses Gardes qu'on allât vite au secours de Monsieur le Marquis de Carabas.

Pendant qu'on retirait le pauvre Marquis de la rivière, le Chat s'approcha du Carrosse, et dit au Roi que, dans le temps que son Maître se baignait, il était venu des Voleurs qui avaient emporté ses habits, quoiqu'il eût crié *au voleur !* de toute sa force ; le drôle[8] les avait cachés sous une grosse pierre.

Le Roi ordonna aussitôt aux Officiers de sa Garde-robe d'aller quérir[9] un de ses plus beaux habits pour Monsieur le Marquis de Carabas. Le Roi lui fit mille caresses, et comme les beaux habits

7. **Qu'il lui prit en gré :** qu'il décida.
8. **Drôle :** jeune homme malin.
9. **Quérir :** chercher.

qu'on venait de lui donner relevaient sa bonne mine[10] (car il était beau et bien fait de sa personne), la fille du Roi le trouva fort à son gré, et le Marquis de Carabas ne lui eut pas jeté deux ou trois regards[11] fort respectueux, et un peu tendres, qu'elle en devint amoureuse à la folie.

Le Roi voulut qu'il montât dans son Carrosse, et qu'il fût de la promenade. Le Chat, ravi de voir que son dessein commençait à réussir, prit les devants, et ayant rencontré des Paysans qui fauchaient un Pré, il leur dit : *« Bonnes gens qui fauchez, si vous ne dites au Roi que le pré que vous fauchez appartient à Monsieur le Marquis de Carabas, vous serez tous hachés menu comme chair à pâté. »*

Le Roi ne manqua pas à demander aux Faucheux à qui était ce Pré qu'ils fauchaient. « C'est à Monsieur le Marquis de Carabas », dirent-ils tous ensemble, car la menace du Chat leur avait fait peur.

« Vous avez là un bel héritage, dit le Roi au Marquis de Carabas.
— Vous voyez, Sire, répondit le Marquis, c'est un pré qui ne manque point de rapporter abondamment toutes les années. »

Le maître Chat, qui allait toujours devant, rencontra des Moissonneurs, et leur dit : *« Bonnes gens qui moissonnez, si vous ne dites que tous ces blés appartiennent à Monsieur le Marquis de Carabas, vous serez tous hachés menu comme chair à pâté. »* Le Roi, qui passa un moment après, voulut savoir à qui appartenaient tous les blés qu'il voyait. « C'est à Monsieur le Marquis de Carabas », répondirent les Moissonneurs, et le Roi s'en réjouit encore avec le Marquis. Le Chat, qui allait devant le carrosse, disait toujours la même chose à tous ceux qu'il rencontrait ; et le Roi était étonné des grands biens[12] de Monsieur le Marquis de Carabas.

Le maître Chat arriva enfin dans un beau Château dont le Maître était un Ogre, le plus riche qu'on ait jamais vu ; car toutes les terres par où le Roi avait passé étaient de la dépendance de ce Château. Le Chat qui eut soin de s'informer qui était cet Ogre, et ce qu'il savait faire, demanda à lui parler, disant qu'il n'avait pas voulu passer si près de son Château, sans avoir l'honneur de lui faire la révérence.

10. Relevaient sa bonne mine : amélioraient son apparence.
11. Et le Marquis... regards : à peine le Marquis de Carabas lui eut-il jeté deux ou trois regards...
12. Grands biens : grandes propriétés, grandes richesses.

L'Ogre le reçut aussi civilement[13] que le peut un Ogre, et le fit reposer. « On m'a assuré, dit le Chat, que vous aviez le don de vous changer en toute sorte d'Animaux ; que vous pouviez par exemple vous transformer en Lion, en Éléphant. — Cela est vrai, répondit l'Ogre brusquement, et pour vous le montrer, vous m'allez voir devenir Lion. » Le Chat fut si effrayé de voir un Lion devant lui, qu'il gagna aussitôt les gouttières, non sans peine et sans péril, à cause de ses bottes qui ne valaient rien pour marcher sur les tuiles.

Quelque temps après, le Chat, ayant vu que l'Ogre avait quitté sa première forme, descendit, et avoua qu'il avait eu bien peur. « On m'a assuré encore, dit le Chat, mais je ne saurais le croire, que vous aviez aussi le pouvoir de prendre la forme des plus petits Animaux, par exemple, de vous changer en un rat, en une souris ; je vous avoue que je tiens cela tout à fait impossible. — Impossible ? reprit l'Ogre ; vous allez voir », et en même temps il se changea en une souris, qui se mit à courir sur le plancher. Le Chat ne l'eut pas plutôt aperçue, qu'il se jeta dessus et la mangea.

Cependant le Roi, qui vit en passant le beau Château de l'Ogre, voulut entrer dedans. Le Chat, qui entendit le bruit du Carrosse qui passait sur le pont-levis, courut au-devant, et dit au Roi : « Votre Majesté soit la bienvenue dans ce Château de Monsieur le Marquis de Carabas. — Comment, Monsieur le Marquis, s'écria le Roi, ce Château est encore à vous ! il ne se peut rien de plus beau que cette Cour et que tous ces Bâtiments qui l'environnent ; voyons les dedans, s'il vous plaît. »

Le Marquis donna la main à la jeune Princesse, et suivant le Roi qui montait le premier, ils entrèrent dans une grande Salle où ils trouvèrent une magnifique collation[14] que l'Ogre avait fait préparer pour ses amis qui le devaient venir voir ce même jour-là, mais qui n'avaient pas osé entrer, sachant que le Roi y était. Le Roi charmé des bonnes qualités de Monsieur le Marquis de Carabas, de même que sa fille qui en était folle, et voyant les grands biens qu'il possédait, lui dit, après avoir bu cinq ou six coups : « Il ne tiendra qu'à vous, Monsieur le Marquis, que vous ne soyez mon gendre. » Le

13. **Civilement** : gentiment.

14. **Une collation** : un repas.

Marquis, faisant de grandes révérences, accepta l'honneur que lui faisait le Roi ; et dès le même jour épousa la Princesse. Le Chat devint grand Seigneur, et ne courut plus après les souris, que pour se divertir.

Le Petit Chaperon rouge

Il était une fois une petite fille de Village, la plus jolie qu'on eût su[1] voir ; sa mère en était folle[2] ; et sa mère-grand plus folle encore. Cette bonne femme lui fit faire un petit chaperon[3] rouge, qui lui seyait si bien, que partout on l'appelait le Petit Chaperon rouge.

Un jour sa mère ayant cuit et fait des galettes, lui dit : « Va voir comme se porte ta mère-grand, car on m'a dit qu'elle était malade, porte-lui une galette et ce petit pot de beurre. » Le Petit Chaperon rouge partit aussitôt pour aller chez sa mère-grand, qui demeurait dans un autre Village. En passant dans un bois elle rencontra compère le Loup, qui eut bien envie de la manger ; mais il n'osa, à cause de quelques bûcherons qui étaient dans la Forêt. Il lui demanda où elle allait ; la pauvre enfant qui ne savait pas qu'il est dangereux de s'arrêter à écouter un Loup, lui dit : « Je vais voir ma Mère-grand, et lui porter une galette avec un petit pot de beurre que ma Mère lui envoie. — Demeure-t-elle[4] bien loin ? lui dit le Loup. — Oh ! oui, dit le Petit Chaperon rouge, c'est par-delà le Moulin que vous voyez tout là-bas, là-bas, à la première maison du Village. — Eh bien, dit le Loup, je veux l'aller voir aussi ; je m'y en vais par ce chemin ici, et toi par ce chemin-là, et nous verrons à qui plus tôt y sera. »

Le Loup se mit à courir de toute sa force par le chemin qui était le plus court, et la petite fille s'en alla par le chemin le plus long, s'amusant à cueillir des noisettes, à courir après des papillons, et à faire des bouquets des petites fleurs qu'elle rencontrait.

Le Loup ne fut pas longtemps à arriver à la maison de la mère-grand ; il heurte[5] : Toc, toc. « Qui est là ? — C'est votre fille, le Petit Chaperon rouge, dit le Loup, en contrefaisant[6] sa voix, qui vous apporte une galette, et un petit pot de beurre que ma Mère vous envoie. » La bonne mère-grand qui était dans son lit à cause qu[7]'elle se trouvait un peu mal, lui cria : « Tire la chevillette, la bobinette[8]

1. **Su :** pu.
2. **En était folle :** l'aimait beaucoup.
3. **Chaperon :** foulard de velours porté sur la tête.
4. **Demeure-t-elle :** habite-t-elle.
5. **Il heurte :** il frappe.
6. **Contrefaisant :** imitant et déformant.
7. **A cause que :** parce que.
8. **La chevillette et la bobinette :** éléments qui composent la fermeture de la porte.

cherra[9]. » Le Loup tira la chevillette, et la porte s'ouvrit. Il se jeta sur la bonne femme, et la dévora en moins de rien ; car il y avait plus de trois jours qu'il n'avait mangé. Ensuite il ferma la porte, et s'alla coucher dans le lit de la mère-grand, en attendant le Petit Chaperon rouge, qui quelque temps après, vint heurter à la porte. Toc, toc. « Qui est là ? » Le Petit Chaperon rouge, qui entendit la grosse voix du Loup, eut peur d'abord, mais croyant que sa mère-grand était enrhumée, répondit : « C'est votre fille, le Petit Chaperon rouge, qui vous apporte une galette et un petit pot de beurre que ma Mère vous envoie. » Le Loup lui cria, en adoucissant un peu sa voix : « Tire la chevillette, la bobinette cherra. » Le Petit Chaperon rouge tira la chevillette, et la porte s'ouvrit.

Le Loup, la voyant entrer, lui dit en se cachant dans le lit sous la couverture : « Mets la galette et le petit pot de beurre sur la huche[10], et viens te coucher avec moi. » Le Petit Chaperon rouge se déshabille, et va se mettre dans le lit, où elle fut bien étonnée de voir comment sa mère-grand était faite en son déshabillé ; elle lui dit : « Ma mère-grand, que vous avez de grands bras ! — C'est pour mieux t'embrasser, ma fille. — Ma mère-grand, que vous avez de grandes jambes ! — C'est pour mieux courir, mon enfant. — Ma mère-grand, que vous avez de grandes oreilles ! — C'est pour mieux écouter, mon enfant. — Ma mère-grand, que vous avez de grands yeux ! — C'est pour mieux voir, mon enfant. — Ma mère-grand, que vous avez de grandes dents ! — C'est pour te manger. » Et, en disant ces mots, ce méchant Loup se jeta sur le Petit Chaperon rouge, et la mangea.

9. **Cherra :** tombera (du verbe choir).

10. **Une huche :** un coffre où l'on conservait le pain autrefois.

La Bruyère

Né en 1645, mort en 1696.

Les Caractères, son œuvre essentielle, constituent l'un des textes les plus célèbres du XVIIe siècle classique. Publié en 1693, il peint une série de portraits, qui sont imaginaires mais représentent des types sociaux (le bavard, l'égoïste, l'ambitieux...) que l'on retrouve en tout temps et en tout lieu.

Diphile

Diphile commence par un oiseau et finit par mille : sa maison n'en est pas égayée, mais empestée[1]. La cour, la salle[2], l'escalier, le vestibule, les chambres, le cabinet[3], tout est volière[4] ; ce n'est plus un ramage[5], c'est un vacarme : les vents d'automne et les eaux dans leurs plus grandes crues ne font pas un bruit si perçant et si aigu ; on ne s'entend non[6] plus parler les uns les autres que dans ces chambres où il faut attendre, pour faire le compliment d'entrée, que les petits chiens aient aboyé. Ce n'est plus pour Diphile un agréable amusement, c'est une affaire laborieuse, et à laquelle à peine il peut suffire. Il passe les jours, ces jours qui échappent et qui ne reviennent plus, à verser du grain et à nettoyer des ordures. Il donne pension[7] à un homme qui n'a point d'autre ministère[8] que de siffler des serins[9] au flageolet[10] et de faire couver des canaris[11]. Il est vrai que ce qu'il dépense d'un côté, il l'épargne de l'autre, car ses enfants sont sans maîtres et sans éducation. Il se renferme le soir, fatigué de son propre plaisir, sans pouvoir jouir du moindre repos que[12] ses oiseaux ne reposent, et que ce petit peuple, qu'il n'aime que parce qu'il chante, ne cesse de chanter. Il retrouve ses oiseaux dans son sommeil : lui-même il est oiseau, il est huppé[13], il gazouille, il perche[14] ; il rêve la nuit qu'il mue[15] ou qu'il couve.

1. **Empestée :** il règne une odeur insupportable dans la maison.
2. **La salle :** la pièce de réception d'une grande maison.
3. **Le cabinet :** le cabinet de travail, le bureau.
4. **Une volière :** une grande cage à oiseaux.
5. **Ramage :** chant des oiseaux.
6. **Non :** pas.
7. **Il donne pension :** il emploie un homme qu'il paie.
8. **Un ministère :** une fonction.
9. **Siffler des serins :** apprendre à siffler.
10. **Flageolet :** petite flûte.
11. **Canaris :** serins originaires des îles Canaries.
12. **Que :** avant que.
13. **Huppe :** touffe de plumes sur la tête.
14. **Il perche :** il se pose sur une branche.
15. **Il mue :** il change de plumage.

Irène*

Irène se transporte à grands frais[1] en Épidaure[2], voit Esculape[3] dans son temple, et le consulte sur tous ses maux. D'abord elle se plaint qu'elle est lasse et recrue de fatigue[4] ; et le dieu prononce que cela lui arrive par la longueur du chemin qu'elle vient de faire. Elle dit qu'elle est le soir sans appétit ; l'oracle[5] lui ordonne de dîner peu. Elle ajoute qu'elle est sujette à des insomnies[6] ; et il lui prescrit[7] de n'être au lit que pendant la nuit. Elle lui demande pourquoi elle devient pesante, et quel remède ; l'oracle lui répond qu'elle doit se lever avant midi, et quelquefois se servir de ses jambes pour marcher. Elle lui déclare que le vin lui est nuisible ; l'oracle lui dit de boire de l'eau ; qu'elle a des indigestions ; et il ajoute qu'elle fasse diète[8].

« Ma vue s'affaiblit, dit Irène.

— Prenez des lunettes, dit Esculape.

— Je m'affaiblis moi-même, continue-t-elle, et je ne suis ni si forte ni si saine que j'ai été.

— C'est, dit le dieu, que vous vieillissez.

— Mais quel moyen de guérir de cette langueur[9] ?

— Le plus court, Irène, c'est de mourir, comme ont fait votre mère et votre aïeule.

— Fils d'Apollon, s'écrie Irène, quel conseil me donnez-vous ? Est-ce là toute cette science que les hommes publient[10], et qui vous fait révérer[11] de toute la terre ? Que m'apprenez-vous de rare et de mystérieux ? Et ne savais-je pas tous ces remèdes que vous m'enseignez ?

— Que n'en usiez-vous donc, répond le dieu, sans venir me chercher de si loin, et abréger vos jours par un long voyage. »

* *Le titre n'est pas de La Bruyère.*

1. **A grands frais :** le voyage lui coûte très cher.
2. **Épidaure :** ville de Grèce, près d'Argos, où était le temple du dieu de la médecine Asclépios, fils d'Apollon ; les malades venaient le consulter.
3. **Esculape :** dieu romain de la médecine.
4. **Recrue de fatigue :** très fatiguée, harassée.
5. **L'oracle :** Esculape.
6. **Elle est sujette à des insomnies :** elle dort mal.
7. **Il prescrit :** il ordonne.
8. **Faire diète :** manger peu ou pas du tout.
9. **Langueur :** affaiblissement.
10. **Que les hommes publient :** dont tout le monde parle.
11. **Révérer :** respecter, honorer.

Voltaire

François-Marie Arouet, né à Paris en 1694 et mort en 1778. Prend en 1719 le nom de Voltaire.

Il a écrit un très grand nombre de pièces de théâtre, de livres de philosophie (*Les Lettres philosophiques:* 1734; *Le Dictionnaire philosophique:* 1764), et des contes très célèbres parmi lesquels: *Zadig* (1748), *Micromégas* (1752), *Candide* (1759), *l'Ingénu* (1767).

Voltaire a pris une part importante dans la rédaction de l'Encyclopédie dirigée par Diderot et d'Alembert. Dans la dernière partie de sa vie, il a beaucoup agi contre l'intolérance sous toutes ses formes, politiques et religieuses.

Jeannot et Colin a été publié en 1764 à Genève.

Jeannot et Colin

Plusieurs personnes dignes de foi ont vu Jeannot et Colin à l'école dans la ville d'Issoire[1] en Auvergne[2], ville fameuse dans tout l'univers par son collège, et par ses chaudrons. Jeannot était fils d'un marchand de mulets très renommé, et Colin devait le jour à un brave laboureur des environs, qui cultivait la terre avec quatre mulets, et qui, après avoir payé la taille, le taillon, les aides et gabelles, le sou pour livre, la capitation et les vingtièmes[3], ne se trouvait pas puissamment riche au bout de l'année.

Jeannot et Colin étaient fort jolis pour des Auvergnats[4] ; ils s'aimaient beaucoup, et ils avaient ensemble de petites privautés, de petites familiarités, dont on se ressouvient toujours avec agrément quand on se rencontre ensuite dans le monde.

Le temps de leurs études était sur le point de finir, quand un tailleur apporta à Jeannot un habit de velours à trois couleurs, avec une veste de Lyon de fort bon goût : le tout était accompagné d'une lettre à monsieur de la Jeannotière. Colin admira l'habit, et ne fut point jaloux ; mais Jeannot prit un air de supériorité qui affligea Colin. Dès ce moment Jeannot n'étudia plus, se regarda au miroir et méprisa tout le monde. Quelque temps après un valet de chambre arrive en poste et apporte une seconde lettre à monsieur le marquis de la Jeannotière ; c'était un ordre de monsieur son père de faire venir monsieur son fils à Paris. Jeannot monta en chaise en tendant la main à Colin avec un sourire de protection assez noble. Colin sentit son néant et pleura. Jeannot partit dans toute la pompe[5] de sa gloire.

Les lecteurs qui aiment à s'instruire doivent savoir que monsieur Jeannot le père avait acquis assez rapidement des biens immenses dans les affaires. Vous demandez comment on fait ces grandes fortunes ? C'est parce qu'on est heureux. Monsieur Jeannot était bien fait, sa femme aussi, et elle avait encore de la fraîcheur. Ils allèrent à Paris pour un procès qui les ruinait, lorsque la fortune, qui

1. **Issoire :** ville d'Auvergne, qui existe encore à l'heure actuelle.
2. **Auvergne :** région du centre de la France (dans le Massif Central).
3. **La taille ... les vingtièmes :** ce sont diverses catégories d'impôts de l'époque. La gabelle, qui est le plus connu, est un impôt sur le sel.
4. **Auvergnat :** habitant de l'Auvergne.
5. **La pompe :** Jeannot partit en donnant des signes extérieurs de sa gloire trop visibles.

élève et qui abaisse les hommes à son gré, les présenta à la femme d'un entrepreneur des hôpitaux des armées, homme d'un grand talent, et qui pouvait se vanter d'avoir tué plus de soldats en un an que le canon n'en fait périr en dix. Jeannot plut à madame ; la femme de Jeannot plut à monsieur. Jeannot fut bientôt de part dans l'entreprise ; il entra dans d'autres affaires. Dès qu'on est dans le fil de l'eau, il n'y a qu'à se laisser aller ; on fait sans peine une fortune immense. Les gredins[6], qui du rivage vous regardent voguer à pleines voiles ouvrent des yeux étonnés ; ils ne savent comment vous avez pu parvenir ; ils vous envient au hasard, et font contre vous des brochures que vous ne lisez point. C'est ce qui arriva à Jeannot le père, qui fut bientôt monsieur de la Jeannotière, et qui, ayant acheté un marquisat[7] au bout de six mois, retira de l'école monsieur le marquis son fils, pour le mettre à Paris dans le beau monde.

Colin, toujours tendre, écrivit une lettre de compliments à son ancien camarade, et *lui fit ces lignes pour le congratuler.* Le petit marquis ne lui fit point de réponse. Colin en fut malade de douleur.

Le père et la mère donnèrent d'abord un gouverneur[8] au jeune marquis : ce gouverneur, qui était un homme de bel air, et qui ne savait rien, ne put rien enseigner à son pupille[9]. Monsieur voulait que son fils apprît le latin, madame ne le voulait pas. Ils prirent pour arbitre un auteur qui était célèbre alors par des ouvrages agréables. Il fut prié à dîner. Le maître de la maison commença par lui dire d'abord : « Monsieur, comme vous savez le latin, et que vous êtes un homme de la cour[10]... — Moi, Monsieur, du latin ! je n'en sais pas un mot, répondit le bel esprit, et bien m'en a pris : il est clair qu'on parle beaucoup mieux sa langue quand on ne partage pas son application entre elle et des langues étrangères. Voyez toutes nos dames : elles ont l'esprit plus agréable que les hommes ; leurs lettres sont écrites avec cent fois plus de grâce ; elles n'ont sur nous cette supériorité que parce qu'elles ne savent pas le latin.

— Eh bien ! n'avais-je pas raison ? dit madame. Je veux que mon fils soit un homme d'esprit, qu'il réussisse dans le monde ; et vous voyez bien que, s'il savait le latin, il serait perdu. Joue-t-on, s'il vous

6. **Les gredins :** les gens de peu d'importance.
7. **Marquisat :** charge donnant le titre de marquis.
8. **Un gouverneur :** une personne chargée de faire l'éducation mondaine d'un jeune homme riche.
9. **Pupille :** enfant mineur.
10. **La cour :** la cour du roi.

plaît, la comédie et l'opéra en latin ? Plaide-t-on en latin quand on a un procès ? Fait-on l'amour en latin ? Monsieur, ébloui de ces raisons, passa condamnation, et il fut conclu que le jeune marquis ne perdrait point son temps à connaître Cicéron, Horace et Virgile[11]. « Mais qu'apprendra-t-il donc ? car encore faut-il qu'il sache quelque chose ; ne pourrait-on pas lui montrer un peu de géographie ? — A quoi cela lui servira-t-il ? répondit le gouverneur. Quand monsieur le marquis ira dans ses terres, les postillons[12] ne sauront-ils pas les chemins ? ils ne l'égareront certainement pas. On n'a pas besoin d'un quart de cercle[13] pour voyager, et on va très commodément de Paris en Auvergne, sans qu'il soit besoin de savoir sous quelle latitude[14] on se trouve.

— Vous avez raison, répliqua le père ; mais j'ai entendu parler d'une belle science qu'on appelle, je crois, l'*astronomie*. — Quelle pitié ! repartit le gouverneur ; se conduit-on par les astres dans ce monde ? et faudra-t-il que monsieur le marquis se tue à calculer une éclipse, quand il la trouve à point nommé dans l'almanach[15], qui lui enseigne de plus les fêtes mobiles, l'âge de la lune et celui de toutes les princesses de l'Europe ?

Madame fut entièrement de l'avis du gouverneur. Le petit marquis était au comble de la joie ; le père était très indécis. « Que faudra-t-il donc apprendre à mon fils ? disait-il. — A être aimable, répondit l'ami que l'on consultait ; et, s'il sait *les moyens de plaire,* il saura tout : c'est un art qu'il apprendra chez madame sa mère, sans que ni l'un ni l'autre se donnent la moindre peine. »

Madame, à ce discours, embrassa le gracieux ignorant, et lui dit : « On voit bien, Monsieur, que vous êtes l'homme du monde le plus savant ; mon fils vous devra toute son éducation. Je m'imagine pourtant qu'il ne serait pas mal qu'il sût un peu d'histoire. — Hélas ! Madame, à quoi cela est-il bon ? répondit-il ; il n'y a certainement d'agréable et d'utile que l'histoire du jour. Toutes les histoires anciennes, comme le disait un de nos beaux esprits, ne sont que des fables convenues ; et, pour les modernes, c'est un chaos qu'on ne peut débrouiller. Qu'importe à monsieur votre fils que

11. **Cicéron, Horace, Virgile :** écrivains latins.
12. **Postillons :** conducteurs de fiacre.
13. **Quart de cercle :** instrument utilisé autrefois pour mesurer les angles.
14. **Sous quelle latitude :** à quel endroit de la terre.
15. **Un almanach :** une sorte de catalogue donnant toutes sortes d'informations, et qui était très utilisé autrefois, surtout à la campagne.

Charlemagne[16] ait institué les douze pairs de France, et que son successeur ait été bègue ?

— Rien n'est mieux dit ! s'écria le gouverneur ; on étouffe l'esprit des enfants sous un amas de connaissances inutiles ; mais de toutes les sciences, la plus absurde, à mon avis, et celle qui est la plus capable d'étouffer toute espèce de génie, c'est la géométrie. Cette science ridicule a pour objet des surfaces, des lignes et des points qui n'existent pas dans la nature. On fait passer en esprit cent mille lignes courbes entre un cercle et une ligne droite qui le touche, quoique dans la réalité on n'y puisse passer un fétu. La géométrie, en vérité, n'est qu'une mauvaise plaisanterie. »

Monsieur et madame n'entendaient pas trop ce que le gouverneur voulait dire ; mais ils furent entièrement de son avis.

« Un seigneur comme monsieur le marquis, continua-t-il, ne doit pas se dessécher le cerveau dans ces vaines études. Si un jour il a besoin d'un géomètre sublime pour lever le plan[17] de ses terres, il les fera arpenter[18] pour son argent. S'il veut débrouiller l'antiquité de sa noblesse[19], qui remonte aux temps les plus reculés, il enverra chercher un bénédictin. Il en est de même de tous les arts. Un jeune seigneur heureusement né n'est ni peintre, ni musicien, ni architecte, ni sculpteur ; mais il fait fleurir tous ces arts en les encourageant par sa magnificence. Il vaut sans doute mieux les protéger que de les exercer ; il suffit que monsieur le marquis ait du goût ; c'est aux artistes à travailler pour lui ; et c'est en quoi on a très grande raison de dire que les gens de qualité (j'entends ceux qui sont très riches) savent tout sans avoir rien appris, parce qu'en effet ils savent à la longue juger de toutes les choses qu'ils commandent et qu'ils payent. »

L'aimable ignorant prit alors la parole, et dit : « Vous avez très bien remarqué, Madame, que la grande fin de l'homme est de réussir dans la société. De bonne foi, est-ce par les sciences qu'on obtient ce succès ? S'est-on jamais avisé dans la bonne compagnie de parler de géométrie ? Demande-t-on jamais à un honnête homme quel astre se lève aujourd'hui avec le soleil ? S'informe-t-on à souper[20] si Clodion

16. Charlemagne : empereur couronné en l'an 800.
17. Lever le plan : dessiner le plan exact.
18. Arpente : mesure (l'arpent est une unité de mesure de surface).
19. S'il veut débrouiller l'antiquité de sa noblesse : s'il veut savoir depuis quand il est noble.
20. A souper : pendant un souper.

le Chevelu[21] passa le Rhin ? — Non, sans doute, s'écria la marquise de la Jeannotière, que ses charmes avaient initiée quelquefois dans le beau monde ; et monsieur mon fils ne doit point éteindre son génie par l'étude de tous ces fatras[22] ; mais enfin que lui apprendra-t-on ? Car il est bon qu'un jeune seigneur puisse briller dans l'occasion, comme dit monsieur mon mari. Je me souviens d'avoir ouï dire à un abbé que la plus agréable des sciences était une chose dont j'ai oublié le nom, mais qui commence par un *b*. — Par un *b*, Madame ? ne serait-ce point la botanique ? — Non, ce n'était point de botanique qu'il me parlait ; elle commençait, vous dis-je, par un *b*, et finissait par un *on*. — Ah ! j'entends, Madame ; c'est le blason[23] : c'est à la vérité une science fort profonde ; mais elle n'est plus à la mode depuis qu'on a perdu l'habitude de faire peindre ses armes[24] aux portières de son carrosse ; c'était la chose du monde la plus utile dans un État bien policé. D'ailleurs, cette étude serait infinie ; il n'y a point aujourd'hui de barbier[25] qui n'ait ses armoiries[26] ; et vous savez que tout ce qui devient commun est peu fêté. » Enfin, après avoir examiné le fort et le faible des sciences, il fut décidé que monsieur le marquis apprendrait à danser.

La nature, qui fait tout, lui avait donné un talent qui se développa bientôt avec un succès prodigieux : c'était de chanter agréablement des vaudevilles[27]. Les grâces de la jeunesse, jointes à ce don supérieur, le firent regarder comme le jeune homme de la plus grande espérance. Il fut aimé des femmes, et, ayant la tête toute pleine de chansons, il en fit pour ses maîtresses. Il pillait *Bacchus et l'Amour* dans un vaudeville, *la nuit et le jour* dans un autre, *les charmes et les alarmes* dans un troisième. Mais, comme il y avait toujours dans ses vers quelques pieds de plus ou de moins qu'il ne fallait, il les faisait corriger moyennant vingt louis d'or par chanson ; et il fut mis dans l'*Année littéraire*[28] au rang des La Fare, des Chaulieu, des Hamilton, des Sarrasin et des Voiture[29].

Madame la marquise crut alors être la mère d'un bel esprit, et donna à souper aux beaux esprits de Paris. La tête du jeune homme fut bientôt renversée : il acquit l'art de parler sans s'entendre, et se

21. Clodion le Chevelu : chef des Francs, un des ancêtres de Clovis.
22. Fatras : choses entassées en désordre, et sans importance.
23. Le blason : la connaissance des armoiries (c'est-à-dire des emblèmes qui caractérisent une famille).
24. Ses armes : les ornements propres à sa famille qui se trouvent sur son carrosse.
25. Un barbier : un coiffeur.
26. Armoiries : (cf. armes).
27. Vaudevilles : chansons drôles et moqueuses.
28. L'année littéraire : une revue de l'époque.
29. La Fare... Voiture : auteurs peu connus de l'époque.

perfectionna dans l'habitude de n'être propre à rien. Quand son père le vit si éloquent, il regretta vivement de ne lui avoir pas fait apprendre le latin, car il lui aurait acheté une grande charge dans la robe[30]. La mère, qui avait des sentiments plus nobles, se chargea de solliciter un régiment pour son fils ; et en attendant il fit l'amour. L'amour est quelquefois plus cher qu'un régiment. Il dépensa beaucoup, pendant que ses parents s'épuisaient encore davantage à vivre en grands seigneurs.

Une jeune veuve de qualité, leur voisine, qui n'avait qu'une fortune médiocre, voulut bien se résoudre à mettre en sûreté les grands biens de monsieur et de madame de la Jeannotière, en se les appropriant et en épousant le jeune marquis. Elle l'attira chez elle, se laissa aimer, lui fit entrevoir qu'il ne lui était pas indifférent, le conduisit par degrés, l'enchanta, le subjugua sans peine. Elle lui donnait tantôt des éloges, tantôt des conseils ; elle devint la meilleure amie du père et de la mère. Une vieille voisine proposa le mariage ; les parents, éblouis de la splendeur de cette alliance acceptèrent avec joie la proposition : ils donnèrent leur fils unique à leur amie intime. Le jeune marquis allait épouser une femme qu'il adorait et dont il était aimé ; les amis de la maison le félicitaient ; on allait rédiger les articles, en travaillant aux habits de noce et à l'épithalame[31].

Il était, un matin, aux genoux de la charmante épouse, que l'amour, l'estime et l'amitié allaient lui donner ; ils goûtaient dans une conversation tendre et animée les prémices de leur bonheur ; ils s'arrangeaient pour mener une vie délicieuse, lorsqu'un valet de chambre de madame la mère arrive tout effaré. « Voici bien d'autres nouvelles, dit-il ; des huissiers[32] déménagent la maison de monsieur et de madame ; tout est saisi par des créanciers[33] : on parle de prise de corps[34], et je vais faire mes diligences[35] pour être payé de mes gages[36]. — Voyons un peu, dit le marquis, ce que c'est que ça, ce que c'est que cette aventure-là. — Oui, dit la veuve, allez punir ces coquins-là, allez vite. » Il y court, il arrive à la maison, son père était déjà emprisonné : tous les domestiques avaient fui chacun de leur côté, en emportant tout ce qu'ils avaient pu. Sa mère était seule, sans

30. **Une grande charge dans la robe :** une haute fonction dans la magistrature.
31. **Un épithalame :** un poème composé à l'occasion d'un mariage.
32. **Huissiers :** hommes de justice.
33. **Créanciers :** personnes à qui on doit de l'argent.
34. **Une prise de corps :** un emprisonnement.
35. **Faire mes diligences :** faire le maximum.
36. **Gages :** salaires des valets.

secours, sans consolation, noyée dans les larmes ; il ne lui restait rien que le souvenir de sa fortune, de sa beauté, de ses fautes et de ses folles dépenses.

Après que le fils eut longtemps pleuré avec la mère, il lui dit enfin : « Ne nous désespérons pas ; cette jeune veuve m'aime éperdument ; elle est plus généreuse encore que riche, je réponds d'elle ; je vole à elle, et je vais vous l'amener. » Il retourne donc chez sa maîtresse, il la trouve tête à tête avec un jeune officier fort aimable. « Quoi ! c'est vous, monsieur de la Jeannotière ? que venez-vous faire ici ? Abandonne-t-on ainsi sa mère ? Allez chez cette pauvre femme, et dites-lui que je lui veux toujours du bien ; j'ai besoin d'une femme de chambre, et je lui donnerai la préférence. — Mon garçon, tu me parais assez bien tourné[37], lui dit l'officier ; si tu veux entrer dans ma compagnie, je te donnerai un bon engagement[38]. »

Le marquis stupéfait, la rage dans le cœur, alla chercher son ancien gouverneur, déposa ses douleurs dans son sein et lui demanda des conseils. Celui-ci lui proposa de se faire, comme lui, gouverneur d'enfants. « Hélas, je ne sais rien, vous ne m'avez rien appris, et vous êtes la première cause de mon malheur » ; et il sanglotait en lui parlant ainsi. « Faites des romans, lui dit un bel esprit qui était là ; c'est une excellente ressource à Paris. »

Le jeune homme, plus désespéré que jamais, courut chez le confesseur de sa mère : c'était un théatin très accrédité[39], qui ne dirigeait que les femmes de la première considération ; dès qu'il le vit, il se précipita vers lui. « Eh, mon Dieu ! monsieur le marquis, où est votre carrosse ? comment se porte la respectable madame la marquise votre mère ? » Le pauvre malheureux lui conta le désastre de sa famille. A mesure qu'il s'expliquait, le théatin prenait une mine plus grave, plus indifférente, plus imposante. « Mon fils, voilà où Dieu vous voulait : les richesses ne servent qu'à corrompre le cœur ; Dieu a donc fait la grâce à votre mère de la réduire à la mendicité ? — Oui, Monsieur. — Tant mieux, elle est sûre de son salut. — Mais, mon Père, en attendant, n'y aurait-il pas moyen d'obtenir quelque secours dans ce monde ? — Adieu, mon fils ; il y a une dame de la cour qui m'attend. »

37. **Assez bien tourné :** assez beau.
38. **Un bon engagement :** une place de soldat.
39. **Un théatin très accrédité :** membre d'un ordre religieux de très bonne réputation.

Le marquis fut prêt à s'évanouir ; il fut traité à peu près de même par ses amis, et apprit mieux à connaître le monde dans une demi-journée que dans tout le reste de sa vie.

Comme il était plongé dans l'accablement du désespoir, il vit avancer une chaise roulante à l'antique[40], espèce de tombereau[41] couvert, accompagné de rideaux de cuir, suivi de quatre charrettes énormes toutes chargées. Il y avait dans la chaise un jeune homme grossièrement vêtu ; c'était un visage rond et frais qui respirait la douceur et la gaieté. Sa petite femme, brune, et assez grossièrement agréable, était cahotée à côté de lui. La voiture n'allait pas comme le char d'un petit-maître[42]. Le voyageur eut tout le temps de contempler le marquis immobile, abîmé dans sa douleur. « Eh, mon Dieu, s'écria-t-il, je crois que c'est là Jeannot. » A ce nom, le marquis lève les yeux, la voiture s'arrête : « C'est Jeannot lui-même, c'est Jeannot. » Le petit homme rebondi ne fait qu'un saut et court embrasser son ancien camarade. Jeannot reconnut Colin ; la honte et les pleurs couvrirent son visage : « Tu m'as abandonné, dit Colin ; mais tu as beau être grand seigneur, je t'aimerai toujours. » Jeannot, confus et attendri, lui conta en sanglotant une partie de son histoire. « Viens dans l'hôtellerie[43] où je loge me conter le reste, lui dit Colin, embrasse ma petite femme et allons dîner ensemble. »

Ils vont tous trois à pied, suivis du bagage. « Qu'est-ce donc que tout cet attirail[44] ? Vous appartient-il ? — Oui, tout est à moi et à ma femme. Nous arrivons du pays ; je suis à la tête d'une bonne manufacture[45] de fer étamé[46] et de cuivre. J'ai épousé la fille d'un riche négociant en ustensiles nécessaires aux grands et aux petits ; nous travaillons beaucoup ; Dieu nous bénit ; nous n'avons point changé d'état, nous sommes heureux, nous aiderons notre ami Jeannot. Ne sois plus marquis ; toutes les grandeurs de ce monde ne valent pas un bon ami. Tu reviendras avec moi au pays, je t'apprendrai le métier, il n'est pas bien difficile ; je te mettrai de part, et nous vivrons gaiement dans le coin de terre où nous sommes nés. »

Jeannot, éperdu, se sentait partagé entre la douleur et la joie, la tendresse et la honte ; et il se disait tout bas : « Tous mes amis du bel

40. A l'antique : à l'ancienne mode.
41. Un tombereau : une charrette très rudimentaire.
42. Petit-maître : jeune prétentieux.
43. Hôtellerie : maison où on était logé et nourri moyennant paiement.
44. Attirail : ensemble d'instruments.
45. Une manufacture : une entreprise.
46. Fer étamé : fer recouvert d'étain.

air[47] m'ont trahi, et Colin, que j'ai méprisé, vient seul à mon secours. Quelle instruction ! » La bonté d'âme de Colin développa dans le cœur de Jeannot le germe du bon naturel, que le monde n'avait pas encore étouffé. Il sentit qu'il ne pouvait abandonner son père et sa mère. « Nous aurons soin de ta mère, dit Colin ; et quant à ton bonhomme de père, qui est en prison, j'entends un peu les affaires[48] ; ses créanciers, voyant qu'il n'a plus rien, s'accommoderont pour peu de chose, je me charge de tout. » Colin fit tant qu'il tira le père de prison. Jeannot retourna dans sa patrie[49] avec ses parents, qui reprirent leur première profession. Il épousa une sœur de Colin, laquelle, étant de même humeur[50] que le frère, le rendit très heureux. Et Jeannot le père, et Jeannotte la mère, et Jeannot le fils virent que le bonheur n'est pas dans la vanité.

47. Du bel air : d'apparence agréable et noble.
48. J'entends un peu les affaires : j'ai de grandes capacités pour le commerce.
49. Patrie : village natal (village du père).
50. Humeur : tempérament, caractère.

Paul-Louis Courier

Paul-Louis Courier, né en 1772, mort en 1825 (assassiné).

Pamphlétaire et traducteur des auteurs grecs, il a beaucoup écrit contre l'ordre établi (par la Restauration). « Le pamphlet des pamphlets », publié en 1824, définit et illustre sa conception de l'écriture.

La lettre suivante, datée du 1er novembre 1807, est extraite des *Lettres écrites de France et d'Italie.*

Une aventure en Calabre*

Un jour, je voyageais en Calabre[1]. C'est un pays de méchantes gens qui, je crois, n'aiment personne, et en veulent surtout aux Français. De vous dire pourquoi, cela serait long ; suffit qu'ils nous haïssent à mort, et qu'on passe mal son temps lorsqu'on tombe entre leurs mains. J'avais pour compagnon un jeune homme d'une figure[2]... ma foi, comme ce monsieur que nous vîmes au Raincy[3] ; vous en souvenez-vous ? et mieux encore peut-être. Je ne dis pas cela pour vous intéresser, mais parce que c'est la vérité.

Dans ces montagnes, les chemins sont des précipices, nos chevaux marchaient avec beaucoup de peine ; mon camarade allait devant, un sentier qui lui parut plus praticable et plus court nous égara[4]. Ce fut ma faute; devais-je me fier à une tête de vingt ans? Nous cherchâmes tant qu'il fit jour, notre chemin à travers ces bois ; mais plus nous cherchions plus nous nous perdions, et il était nuit noire quand nous arrivâmes près d'une maison fort noire. Nous y entrâmes, non sans soupçon[5], mais comment faire ? Là, nous trouvons toute une famille de charbonniers à table, où du premier mot[6] on nous invita.

Mon jeune homme ne se fit pas prier: nous voilà mangeant et buvant, lui du moins, car pour moi j'examinais le lieu et la mine de nos hôtes. Nos hôtes avaient bien la mine de charbonniers ; mais la maison, vous l'eussiez prise pour un arsenal[7]. Ce n'étaient que fusils, pistolets, sabres, couteaux, coutelas. Tout me déplut et je vis bien que je déplaisais aussi. Mon camarade, au contraire : il était de la famille, il riait, il causait avec eux ; et par une imprudence que j'aurais dû prévoir (mais quoi ! s'il était écrit...) il dit d'abord d'où nous venions, où nous allions, qui nous étions ; Français, imaginez un peu ! chez nos plus mortels ennemis[8], seuls, égarés, si loin de tout

* *Le titre n'est pas de Paul-Louis Courier.*

1. **La Calabre :** région d'Italie du sud célèbre, à l'époque, pour ses bandits ; ce qui explique la peur de l'auteur.
2. **Figure :** allure.
3. **Le Raincy :** petite ville près de Paris.
4. **Égarer :** faire perdre son chemin.
5. **Non sans soupçon :** avec quelque crainte.
6. **Du premier mot :** tout de suite.
7. **Un arsenal :** une fabrique d'armes.
8. **Nos plus mortels ennemis :** allusion aux guerres d'Italie.

secours humain, et puis pour ne rien omettre de ce qui pouvait nous perdre, il fit le riche, promit à ces gens pour la dépense[9], et pour nos guides le lendemain, ce qu'ils voulurent. Enfin, il parla de sa valise, priant fort qu'on en eût grand soin, qu'on la mît au chevet de son lit[10] ; il ne voulait point, disait-il, d'autre traversin[11]. Ah ! jeunesse ! jeunesse ! que votre âge est à plaindre ! Cousine, on crut que nous portions les diamants de la couronne : ce qu'il y avait qui lui causait tant de souci dans cette valise, c'étaient les lettres de sa maîtresse.

Le souper fini on nous laisse ; nos hôtes couchaient en bas, nous dans la chambre haute où nous avions mangé ; une soupente[12] élevée de sept à huit pieds, où l'on montait par une échelle, c'était là le coucher qui nous attendait, espèce de nid, dans lequel on s'introduisit en rampant sous des solives[13] chargées de provisions pour toute l'année. Mon camarade y grimpa seul, et se coucha tout endormi, la tête sur la précieuse valise. Moi, déterminé à veiller, je fis bon feu, et m'assis auprès. La nuit s'était déjà passée presqu'entière assez tranquillement, et je commençais à me rassurer[14] quand sur l'heure où il me semblait que le jour ne pouvait être loin, j'entendis au-dessous de moi notre hôte et sa femme parler et se disputer ; et prêtant l'oreille par la cheminée qui communiquait avec celle d'en bas, je distinguais parfaitement ces propres mots du mari : « Eh bien ! enfin, voyons, faut-il les tuer tous les deux ? » A quoi la femme répondit : « Oui ». Et je n'entendis plus rien.

Que vous dirai-je ? Je restais respirant à peine, tout mon corps froid comme un marbre ; à me voir, vous n'eussiez su si j'étais mort ou vivant. Dieu ! quand j'y pense encore... Nous deux presque sans armes, contre eux douze ou quinze qui en avaient tant ! et mon camarade mort de fatigue et de sommeil ! L'appeler, faire du bruit, je n'osais ; m'échapper tout seul, je ne pouvais ; la fenêtre n'était guère haute, mais en bas deux gros dogues hurlant comme des loups...

En quelle peine je me trouvais, imaginez-le, si vous pouvez. Au bout d'un quart d'heure qui fut long, j'entends sur l'escalier quelqu'un, et par les fentes de la porte, je vis le père, sa lampe dans une main, dans l'autre un de ses grands couteaux. Il montait, sa

9. **La dépense :** le logement et le repas.
10. **Au chevet de son lit :** à la tête de son lit.
11. **Un traversin :** un oreiller long.
12. **Une soupente :** un petit grenier.
13. **Solives :** grosses poutres.
14. **Se rassurer :** se tranquilliser.

femme après lui, moi derrière la porte : il ouvrit ; mais avant d'entrer il posa la lampe que sa femme vint prendre ; puis, il entra pieds nus, et elle de dehors lui disait à voix basse, masquant avec ses doigts le trop de lumière de la lampe : « Doucement, va doucement ». Quand il fut à l'échelle, il monte ; son couteau dans les dents et, venu à la hauteur du lit, ce pauvre jeune homme étendu offrant sa gorge découverte, d'une main il prend son couteau, et de l'autre... Ah ! Cousine... Il saisit un jambon qui pendait au plancher[15] en coupe une tranche, et se retire comme il était venu. La porte se ferme, la lampe s'en va et je reste seul à mes réflexions.

Dès que le jour parut, toute la famille à grand bruit, vint nous éveiller, comme nous l'avions recommandé. On apporte à manger : on sert un déjeuner fort propre, fort bon, je vous assure. Deux chapons[16] en faisaient partie dont il fallait, dit notre hôtesse, emporter l'un et manger l'autre. En les voyant, je compris enfin le sens de ces terribles mots : « Faut-il les tuer tous les deux ? »

15. Plancher : toit, plafond.
16. Deux chapons : deux poulets.

Honoré de Balzac

Honoré de Balzac, né à Tours en 1799, mort à Paris en 1851. Il publie quatre-vingt-quinze romans qui composent à eux tous, notamment par le retour des mêmes personnages d'un roman à l'autre, une œuvre d'ensemble nommée par Balzac « la Comédie humaine ». *Les Illusions perdues, La Peau de chagrin, Splendeurs et misères des courtisanes, Le Père Goriot, Eugénie Grandet, La Cousine Bette, Le Cousin Pons, César Birotteau* constituent quelques-uns des titres parmi les plus connus.

Une évasion

Un matin, le porte-clefs[1] chargé d'apporter la nourriture du prisonnier, au lieu de s'en aller après lui avoir donné sa maigre pitance[2], resta devant lui les bras croisés et le regarda singulièrement[3]. Entre eux, la conversation se réduisait ordinairement à peu de chose, et jamais le gardien ne la commençait. Aussi le chevalier fut-il très étonné lorsque cet homme lui dit :

« Monsieur, vous avez sans doute votre idée[4] en vous faisant toujours appeler M. Lebrun ou citoyen Lebrun. Cela ne me regarde pas, mon affaire n'est point de vérifier votre nom. Que vous vous nommiez Pierre ou Paul, cela m'est bien indifférent. A chacun son métier, les vaches seront bien gardées[5]. Cependant, je sais, dit-il en clignant[6] de l'œil, que vous êtes M. Charles-Félix-Théodore, chevalier de Beauvoir et cousin de Mme la duchesse de Maillé... »

« Hein ? » ajouta-t-il d'un air de triomphe, après un moment de silence, en regardant son prisonnier.

Beauvoir, se voyant incarcéré[7] fort et ferme, ne crut pas que sa position put empirer par l'aveu de son véritable nom.

« Eh bien, quand je serais le chevalier de Beauvoir, qu'y gagnerais-tu ? » lui dit-il.

— Oh ! tout est gagné, répliqua le porte-clefs à voix basse. Ecoutez-moi. J'ai reçu de l'argent pour faciliter votre évasion ; mais un instant ! Si j'étais soupçonné de la moindre chose, je serais fusillé tout bellement[8]. J'ai donc dit que je tremperais dans cette affaire[9] juste pour gagner mon argent. Tenez, monsieur, voici une clef, dit-il en sortant de sa poche une petite lime ; avec cela, vous scierez un de vos barreaux. Dame, ce ne sera pas commode[10] ! reprit-il en montrant l'ouverture étroite par laquelle le jour entrait dans le cachot[11].

C'était une espèce de baie[12] pratiquée au-dessus du cordon[13] qui couronnait extérieurement le donjon[14], entre les grosses pierres

1. **Porte-clefs :** gardien de prison qui porte les clefs des cellules des détenus.
2. **Pitance :** nourriture journalière.
3. **Singulièrement :** bizarrement.
4. **Vous avez sans doute votre idée :** vous avez sans doute une intention spéciale. En fait, il s'agit, pendant les guerres civiles de Vendée en 1800, du jeune chevalier de Beauvoir, arrêté alors qu'il remplissait une mission pour le parti royaliste, qui cache sa véritable identité.
5. **Les vaches seront bien gardées :** proverbe populaire tiré d'une fable de Florian (XVIIIe siècle). Il signifie que tout va bien lorsque chacun fait ce qu'il doit faire et seulement ce qu'il doit faire.
6. **Cligner de l'œil :** fermer et ouvrir rapidement un œil pour montrer qu'on n'est pas dupe, qu'on est complice.
7. **Incarcéré :** emprisonné.
8. **Tout bellement :** tout simplement, sans aucun doute possible.
9. **Je tremperais dans cette affaire :** je prendrais part à cette action répréhensible.
10. **Commode :** facile.
11. **Cachot :** cellule de prison étroite et sombre.

saillantes destinées à figurer les supports des créneaux.

« Monsieur, dit le geôlier[15], il faudra scier le fer assez près pour que vous puissiez passer.

— Oh ! Sois tranquille ! j'y passerai » dit le prisonnier.

— Et assez haut pour qu'il vous reste de quoi attacher votre corde, reprit le porte-clefs.

— Où est-elle ? demanda Beauvoir.

— La voici, répondit le guichetier en lui jetant une corde à nœuds. Elle a été fabriquée avec du linge, afin de faire supposer que vous l'avez confectionnée vous-même, et elle est de longueur suffisante. Quand vous serez au dernier nœud, laissez-vous couler[16] tout doucement ; le reste est votre affaire. Vous trouverez probablement dans les environs une voiture tout attelée et des amis qui vous attendent. Mais je ne sais rien, moi[17] ! Je n'ai pas besoin de vous dire qu'il y a une sentinelle au dret[18] de la tour. Vous saurez bien choisir une nuit noire, et guetter le moment où le soldat de faction[19] dormira. Vous risquerez peut-être d'attraper un coup de fusil, mais...

— C'est bon ! C'est bon ! Je ne pourrirai pas ici[20], s'écria le chevalier.

— Ah ! ça se pourrait bien tout de même[21], répliqua le geôlier d'un air bête.

Beauvoir prit cela pour une de ces réflexions niaises[22] que font ces gens-là. L'espoir d'être bientôt libre le rendait si joyeux, qu'il ne pouvait guère s'arrêter aux discours de cet homme, espèce de paysan renforcé. Il se mit à l'ouvrage aussitôt, et la journée lui suffit pour scier les barreaux.

Craignant une visite du commandant, il cacha son travail en bouchant les fentes avec de la mie de pain roulée dans de la rouille, afin de lui donner la couleur du fer. Il serra[23] sa corde et se mit à épier quelque nuit favorable, avec cette impatience concentrée et cette profonde agitation d'âme qui dramatisent la vie des prisonniers.

Enfin, par une nuit grise, une nuit d'automne, il acheva de scier les barreaux, attacha solidement sa corde, s'accroupit à l'extérieur sur le

12. **Une baie :** une ouverture dans un mur.
13. **Cordon :** corniche, grosse moulure saillante.
14. **Donjon :** tour principale du château ou de la prison.
15. **Geôlier :** gardien de prison.
16. **Couler :** glisser.
17. **Je ne sais rien, moi :** officiellement, j'ignore tout de l'affaire.
18. **Au dret :** droit devant la tour, juste en face de la tour.
19. **Le soldat de faction :** le soldat de garde.
20. **Je ne pourrirai pas ici :** je ne resterai pas longtemps ici.
21. **Ça se pourrait bien tout de même :** le geôlier joue sans le savoir sur le mot pourrir et lui donne son sens propre car il ignore le sens figuré employé par le chevalier..
22. **Niaises :** bêtes, naïves, sottes.
23. **Il serra :** il cacha, mit en sûreté.

support de pierre, en se cramponnant[24] d'une main au bout de fer qui restait dans la baie ; puis il attendit ainsi le moment le plus obscur de la nuit et l'heure à laquelle les sentinelles doivent dormir. C'est vers le matin, à peu près.

Il connaissait la durée des factions, l'instant des rondes[25], toutes choses dont s'occupent les prisonniers, même involontairement. Il guetta le moment où l'une des sentinelles serait aux deux tiers de sa faction et retirée dans sa guérite, à cause du brouillard. Certain d'avoir réuni toutes les chances favorables à son évasion, il se mit alors à descendre, nœud à nœud, suspendu entre le ciel et la terre, en tenant sa corde avec une force de géant.

Tout alla bien. A l'avant-dernier nœud, au moment de se laisser couler à terre, il s'avisa, par une pensée prudente, de chercher le sol avec ses pieds, et ne trouva pas de sol. Le cas était assez embarrassant pour un homme en sueur, fatigué, perplexe, et dans une situation où il s'agissait de jouer sa vie au pair ou non[26]. Il allait s'élancer. Une raison frivole[27] l'empêcha : son chapeau venait de tomber ; heureusement, il écouta le bruit que sa chute devait produire, et il n'entendit rien ! Le prisonnier conçut de vagues soupçons sur sa position ; il se demanda si le commandant ne lui avait pas tendu quelque piège ; mais dans quel intérêt ?

En proie à ces incertitudes, il songea presque à remettre la partie à une autre nuit. Provisoirement, il résolut d'attendre les clartés indécises du crépuscule[28] ; heure qui ne serait peut-être pas tout à fait défavorable à sa fuite. Sa force prodigieuse lui permit de grimper vers le donjon ; mais il était presque épuisé au moment où il se remit sur le support extérieur, guettant tout comme un chat sur le bord d'une gouttière.

Bientôt, à la faible clarté de l'aurore, il aperçut, en faisant flotter sa corde, une petite distance de cent pieds[29] entre le dernier nœud et les rochers pointus du précipice.

« Merci commandant » ! dit-il avec le sang-froid qui le caractérisait.

Puis, après avoir quelque peu réfléchi à cette habile vengeance, il jugea nécessaire de rentrer dans son cachot. Il mit sa défroque[30] en

24. Se cramponnant : s'accrochant de toutes ses forces.
25. Rondes : inspections.
26. Jouer sa vie au pair : jeu de hasard où l'on doit deviner si le nombre des objets qu'on tient dans la main est pair ou impair. Le prisonnier a autant de chances de réussir que d'échouer.
27. Frivole : futile, sans importance.
28. Crépuscule : clarté diffuse qui précède le coucher du soleil ou son lever.
29. Une distance de cent pieds : le pied valait 33 cm, la distance est donc de 33 mètres. L'expression « petite distance » est ironique.
30. Sa défroque : ses habits de prisonnier, usés, déchirés.

évidence sur son lit, laissa la corde en dehors pour faire croire à sa chute ; il se tapit[31] tranquillement derrière la porte et attendit l'arrivée du perfide guichetier en tenant à la main une des barres de fer qu'il avait sciées.

Le guichetier, qui ne manqua pas de venir plus tôt qu'à l'ordinaire pour recueillir la succession du mort, ouvrit la porte en sifflant ; mais, quand il fut à une distance convenable, Beauvoir lui asséna sur le crâne un si furieux coup de barre que le traître tomba comme une masse[32], sans jeter un cri : la barre lui avait brisé la tête. Le chevalier déshabilla promptement le mort, prit ses habits, imita son allure et, grâce à l'heure matinale et au peu de défiance des sentinelles de la porte principale, il s'évada.

31. **Il se tapit :** il se cacha en se ramassant sur lui-même.

32. **Tomber comme une masse :** expression toute faite : s'écrouler pesamment.

Prosper Mérimée

Né en 1802 à Paris, mort en 1870. Fut l'ami de Stendhal.

A écrit de très nombreuses nouvelles, dont beaucoup sont devenues très célèbres : par exemple *Mateo Falcone* (1829), *L'enlèvement de la Redoute* (1829), *Tamango* (1829), *La Vénus d'Ille* (1837). Ses deux textes les plus connus sont cependant *Carmen* (1845) et *Colomba* (1840).

Carmen, en particulier, a donné lieu à de multiples œuvres : chansons, opéras, films, ballets, etc.

Le récit suivant, *Histoire de Rondino*, est paru en 1830.

La perle de Tolède est paru en 1829.

Histoire de Rondino

Il se nommait Rondino. Orphelin dès son enfance il fut laissé aux soins de son oncle, bailli[1] de son village, homme avare, qui le traitait fort mal. Quand il fut d'âge à tirer pour la milice, le bailli disait publiquement :

— J'espère que Rondino sera soldat, et que le pays en sera débarrassé. Ce garçon-là ne peut tourner à bien. Tôt ou tard, il sera le déshonneur de sa famille. Certainement, il finira par être pendu.

On prétend que la haine de cet homme pour Rondino avait un motif honteux. Son neveu avait fait un petit héritage que le bailli administrait, et dont il n'était pas pressé de rendre compte[2]. Quoi qu'il en soit, le sort désigna Rondino pour être conscrit, et il quitte son village, persuadé que son oncle avait organisé dans le tirage[3] une supercherie[4] dont il était la victime.

Arrivé à son régiment, il manquait souvent à l'appel, et montrait tant d'insubordination qu'on l'envoya dans un bataillon de discipline. Il parut extrêmement touché de cette punition, jura de changer de conduite et tint parole. Au bout de quelques mois, il fut rappelé au régiment. Dès lors, ses devoirs de soldat furent remplis avec exactitude, et il mit tous ses soins à se faire distinguer de ses chefs. Il savait lire et écrire ; il était fort intelligent. En peu de temps on le fit caporal[5], puis sergent[6].

Un jour, son colonel lui dit :

— Rondino, votre temps de service va finir ; mais je compte que vous resterez avec nous ?

— Non, mon colonel, je désire retourner dans mon pays.

— Vous auriez tort. Vous êtes bien ici. Vos officiers et vos camarades vous estiment. Vous voilà sergent ; et, si vous continuez à vous bien conduire, vous serez bientôt sergent-major. En restant au régiment, vous avez un sort tout fait ; au lieu que si vous retournez

1. **Un bailli :** un administrateur.
2. **Dont il n'était pas pressé de rendre compte :** le bailli cherchait à ne pas rendre public le montant de l'héritage de son neveu.
3. **Le tirage :** le tirage au sort. A cette époque, le service militaire se faisait par tirage au sort.
4. **Une supercherie :** une tromperie.
5. **Caporal :** grade le plus bas dans la hiérarchie militaire.
6. **Sergent :** grade immédiatement au-dessus de celui de caporal.

dans votre village, vous mourrez de faim ou bien vous serez à charge à vos parents.

— Mon colonel, j'ai un peu de bien dans mon pays...

— Vous vous trompez. Votre oncle m'écrit qu'il a fait pour votre éducation des dépenses dont vous ne pourrez jamais le rembourser. D'ailleurs, si vous saviez ce qu'il pense de vous, vous ne seriez pas pressé de retourner auprès de lui. Il m'écrit de vous retenir par tous les moyens possibles ; il dit que vous êtes un vaurien, que tout le monde vous déteste, et que pas un fermier du pays ne voudra vous donner de l'ouvrage.

— Il a dit cela !

— J'ai sa lettre.

— N'importe ! Je veux revoir mon pays.

Il fallut lui donner son congé : on l'accompagna de certificats honorables.

Rondino se rendit aussitôt chez son oncle le bailli, lui reprocha son injustice et lui demanda fort insolemment de lui rendre son bien, qu'il retenait à son préjudice[7]. Le bailli répliqua, s'emporta, produisit des comptes embrouillés, et la discussion s'échauffa au point qu'il frappa Rondino. Celui-ci lui porta aussitôt un coup de stylet[8], et l'étendit mort sur la place. Le meurtre commis, il quitta le village et demanda un asile à un de ses amis qui habitait une métairie[9] isolée au milieu des montagnes.

Bientôt, trois gendarmes partirent pour l'y chercher. Rondino les attendit dans un chemin creux, en tua un, en blessa un autre, et le troisième prit la fuite. Depuis la persécution des carbonari[10], les gendarmes ne sont pas aimés en Piémont[11] et l'on applaudit toujours à ceux qui les battent. Aussi Rondino passa-t-il pour un héros parmi les paysans du voisinage. D'autres rencontres avec la force armée lui furent aussi heureuses que la première, et augmentèrent sa réputation. On prétend que, dans l'espace de deux ou trois ans, il tua ou blessa une quinzaine de gendarmes. Il changeait souvent de retraite, mais jamais il ne s'éloignait de plus de sept à huit lieues de son village. Jamais il ne volait ; seulement, quand ses munitions

7. **A son préjudice :** contre son intérêt ; à son détriment.
8. **Un stylet :** une sorte de couteau ou d'épée très courte.
9. **Une métairie :** une ferme.
10. **Carbonari :** nom d'une société secrète et politique qui se forma en Italie au début du XIXe siècle.
11. **Piémont :** région du nord de l'Italie.

étaient presque épuisées, il demandait au premier passant un quart d'écu pour acheter de la poudre et du plomb. D'ordinaire, il couchait dans des fermes isolées. Son usage alors était de fermer toutes les portes, et d'emporter les clefs dans la chambre qu'on lui avait donnée. Ses armes étaient auprès de lui, et il laissait en dehors de la maison, pour faire sentinelle, un énorme chien qui le suivait partout, et qui plus d'une fois avait fait sentir ses redoutables dents aux ennemis de son maître. L'aube venue, Rondino rendait les clefs, remerciait ses hôtes, et, le plus souvent, ses hôtes le priaient, à son départ, d'accepter quelques provisions.

M. A..., riche propriétaire de ma connaissance, le vit, il y a trois ans. On faisait la moisson, et il surveillait ses ouvriers, quand il vit venir à lui un homme bien fait, robuste, d'une figure mâle, mais point féroce ; cet homme avait un fusil, mais, à cinquante pas des moissonneurs, il le déposa au pied d'un arbre, ordonna à son chien de le garder, et, s'avançant vers M. A..., le pria de vouloir bien lui donner quelque aumône.

— Pourquoi ne travaillez-vous pas avec les ouvriers ? lui dit M. A..., qui le prenait pour un mendiant ordinaire.

Le proscrit[12] sourit et dit :

— Je suis Rondino.

Aussitôt on lui offrit quelques pistoles.

— Je ne prends jamais qu'un quart d'écu, dit Rondino ; cela me suffit pour remplir ma poire à poudre[13]. Seulement, puisque vous voulez faire quelque chose pour moi, ayez la bonté de me faire donner quelque chose à manger, car j'ai faim.

Il prit un pain et du lard, et voulait se retirer aussitôt emportant son dîner ; mais M. A... le retint encore quelques moments, curieux d'observer à loisir un homme dont on parlait tant.

— Vous devriez quitter ce pays, dit-il au proscrit ; tôt ou tard vous serez pris. Allez à Gênes ou en France ; de là vous passerez en Grèce, vous y trouverez des militaires, nos compatriotes, qui vous recevront bien. Je vous donnerai volontiers les moyens de faire le voyage.

12. **Proscrit :** exilé, exclu, interdit de séjour.

13. **Poire à poudre :** petite poche contenant de la poudre à fusil.

— Je vous remercie, répondit Rondino après avoir un peu réfléchi. Je ne pourrais vivre autre part que dans mon pays, et je tâcherai de n'être pendu que le plus tard possible.

Un jour, quelques voleurs de profession cherchèrent Rondino, et lui dirent :

Cette nuit, un conseiller de Turin doit passer à tel endroit ; il a 40 000 livres dans sa voiture ; si tu veux nous conduire, nous l'arrêterons, et tu auras ta part de capitaine.

Rondino leva fièrement la tête, et, les regardant avec mépris :

— Pour qui me prenez-vous ? dit-il, je suis un honnête proscrit, et non un voleur. Ne me faites plus de semblables propositions, ou vous vous en repentirez.

Il les quitta, et alla au-devant du conseiller. L'ayant rencontré à la tombée de la nuit, il fit arrêter la voiture, monta sur le siège et ordonna au cocher de continuer sa route. Cependant, le conseiller tremblant s'attendait à chaque instant à être assassiné. Au milieu d'un défilé, les voleurs paraissent à l'improviste ; Rondino leur crie aussitôt :

— Cette voiture est sous ma protection ; vous me connaissez, et si vous l'attaquez, c'est à moi que vous aurez affaire.

Il avait levé son fusil, et son chien n'attendait qu'un signal pour s'élancer sur les brigands. Ils s'ouvrirent devant la voiture, qui bientôt fut en lieu de sûreté. Le conseiller offrit un présent considérable à son libérateur, mais Rondino le refusa.

— Je n'ai fait que le devoir de tout honnête homme, dit-il ; aujourd'hui, je n'ai besoin de rien ; toutefois, si vous voulez me prouver votre reconnaissance, dites seulement à vos fermiers de me donner un quart d'écu quand je n'aurai plus de poudre, et à dîner quand j'aurai faim.

Rondino fut pris, il y a deux ans, de la manière suivante. Il vint coucher une nuit dans un presbytère ; il demanda toutes les clefs, mais le curé eut l'adresse d'en retenir une, au moyen de laquelle, le brigand une fois endormi, il put envoyer un jeune garçon qui le servait avertir la brigade de gendarmerie la plus proche. Le chien de

Rondino était doué d'un instinct merveilleux pour sentir de loin l'approche de ses ennemis. Ses aboiements éveillèrent son maître, qui essaya de sortir du village ; mais déjà toutes les avenues étaient gardées. Il monte dans le clocher et s'y barricade. Le jour venu, il commença à tirer par les fenêtres, et bientôt obligea les gendarmes à gagner les maisons voisines, et à renoncer à donner l'assaut. La fusillade dura une grande partie de la journée. Rondino n'était pas blessé, et déjà il avait mis hors de combat trois gendarmes ; mais il n'avait ni pain, ni eau, et la chaleur était étouffante ; il comprit que son heure était venue. Tout d'un coup on le vit apparaître à une fenêtre du dehors, élevant un mouchoir blanc au bout de son fusil. On cessa de tirer.

— Je suis las, dit-il, de la vie que je mène ; je veux bien me rendre, mais je ne veux pas que des gendarmes aient la gloire de m'avoir pris. Faites venir un officier de la ligne, et je me rendrai à lui.

Précisément un détachement, commandé par un officier, entrait dans le village ; on consentit à ce que demandait Rondino. Les soldats se mirent en bataille devant le clocher, et Rondino sortit à l'instant. Il s'avança vers l'officier, et lui dit d'une voix ferme :

— Monsieur, acceptez mon chien, vous en serez content ; promettez-moi d'avoir soin de lui.

L'officier le lui promit. Aussitôt, Rondino brisa la crosse de son fusil, et fut emmené sans résistance par les soldats, qui le traitèrent avec beaucoup d'égards. Il attendit son jugement pendant près de deux ans ; il écouta son arrêt[14] avec beaucoup de sang-froid, et subit son supplice[15] sans faiblesse ni fanfaronnades[16].

14. **Son arrêt :** le jugement du tribunal.
15. **Son supplice :** sa condamnation, la peine à laquelle il a été condamné.
16. **Fanfaronnades :** manifestations exagérées de celui qui fait semblant de ne pas avoir peur.

La perle de Tolède[1]

Qui me dira si le soleil est plus beau à son lever qu'à son coucher ? Qui me dira de l'olivier ou de l'amandier lequel est le plus beau des arbres ? Qui me dira qui du Valencien[2] ou de l'Andalou[3] est le plus brave ? Qui me dira quelle est la plus belle des femmes ? « Je vous dirai quelle est la plus belle des femmes : c'est Aurore de Vargas, la perle de Tolède. »

Le Noir Tuzani a demandé sa lance, il a demandé son bouclier : sa lance, il la tient de sa main droite ; son bouclier pend à son cou. Il descend dans son écurie, et considère ses quarante juments l'une après l'autre. Il dit : « Berja est la plus vigoureuse ; sur sa large croupe j'emporterai la perle de Tolède, ou, par Allah ! Cordoue[4] ne me reverra jamais. »

Il part, il chevauche, il arrive à Tolède, et il rencontre un vieillard près du Zacatin. « Vieillard à la barbe blanche, porte cette lettre à don Guttiere, à don Guttiere de Saldaña. S'il est homme, il viendra combattre contre moi près de la fontaine d'Almami. La perle de Tolède doit appartenir à l'un de nous. »

Et le vieillard a pris la lettre, il l'a prise et l'a portée au comte de Saldaña, comme il jouait aux échecs avec la perle de Tolède. Le comte a lu la lettre, il a lu le cartel[5], et de sa main il a frappé la table si fort que toutes les pièces en sont tombées. Et il se lève et demande sa lance et son bon cheval ; et la perle s'est levée aussi toute tremblante, car elle a compris qu'il allait à un duel.

« Seigneur Guttiere, don Guttiere de Saldaña, restez, je vous prie, et jouez encore avec moi. — Je ne jouerai pas davantage aux échecs ; je veux jouer au jeu des lances à la fontaine d'Almami. » Et les pleurs d'Aurore ne purent l'arrêter ; car rien n'arrête un cavalier qui se rend à un duel. Alors la perle de Tolède a pris son manteau, et, montée sur sa mule, s'en est allée à la fontaine d'Almami.

1. **Tolède** : ville située au centre de l'Espagne.
2. **Valencien** : habitant de Valence, ville d'Espagne.
3. **Andalou** : habitant de l'Andalousie, province située au sud de l'Espagne.
4. **Cordoue** : ville d'Andalousie.
5. **Cartel** : provocation en duel.

Autour de la fontaine le gazon est rouge. Rouge aussi l'eau de la fontaine ; mais ce n'est point le sang d'un chrétien qui rougit le gazon, qui rougit l'eau de la fontaine. Le Noir Tuzani est couché sur le dos : la lance de don Guttiere s'est brisée dans sa poitrine : tout son sang se perd peu à peu. Sa jument Berja le regarde en pleurant, car elle ne peut guérir la blessure de son maître.

La perle descend de sa mule : « Cavalier, ayez bon courage : vous vivrez encore pour épouser une belle Moresque, ma main sait guérir les blessures que fait mon chevalier. — O perle si blanche, ô perle si belle, arrache de mon sein ce tronçon de lance qui le déchire : le froid de l'acier me glace et me transit[6]. » Elle s'est approchée sans défiance ; mais il a ranimé ses forces, et du tranchant de son sabre il balafre[7] ce visage si beau.

6. **Me transit :** me transperce de froid.

7. **Balafrer :** entailler, faire une balafre.

Guy de Maupassant

Né en 1850, en Normandie, mort en 1893.

Ami de Gustave Flaubert et d'Émile Zola. Maupassant a écrit de très nombreux contes, presque toujours publiés d'abord dans un journal, puis rassemblés en volumes. Parmi les recueils les plus connus figurent : *La Maison Tellier* (1881), *Mademoiselle Fifi* (1882), *Contes du jour et de la nuit* (1885). Plusieurs romans sont aussi à signaler : *Une vie* (1883), *Bel Ami* (1885), *Pierre et Jean* (1888). Beaucoup des œuvres de Maupassant ont donné lieu à des adaptations cinématographiques. Ses livres ont été traduits dans le monde entier.

Les Contes de la bécasse, dont fait partie le récit suivant, ont été publiés en 1883 et constituent l'une des œuvres les plus célèbres de l'auteur.

Un coq chanta

Mme Berthe d'Avancelles avait jusque-là repoussé toutes les supplications de son admirateur désespéré, le baron Joseph de Croissard. Pendant l'hiver, à Paris, il l'avait ardemment poursuivie[1], et il donnait pour elle[2] maintenant des fêtes et des chasses en son château normand de Carville.

Le mari, M. d'Avancelles, ne voyait rien, ne savait rien, comme toujours. Il vivait, disait-on, séparé de sa femme, pour cause de faiblesse physique, que madame ne lui pardonnait point. C'était un gros petit homme, chauve, court de bras, de jambes, de cou, de nez, de tout.

Mme d'Avancelles était au contraire une grande jeune femme brune et déterminée, qui riait d'un rire sonore au nez de son maître qui l'appelait publiquement « Madame Popote », et regardait d'un certain air engageant[3] et tendre les larges épaules et l'encolure robuste et les longues moustaches blondes de son soupirant attitré, le baron Joseph de Croissard.

Elle n'avait encore rien accordé cependant. Le baron se ruinait pour elle. C'étaient sans cesse des fêtes, des chasses, des plaisirs nouveaux auxquels il invitait la noblesse des châteaux environnants.

Tout le jour, les chiens courants hurlaient par les bois à la suite du renard et du sanglier, et, chaque soir, d'éblouissants feux d'artifice allaient mêler aux étoiles leurs panaches de feu, tandis que les fenêtres illuminées du salon jetaient sur les vastes pelouses des traînées de lumière où passaient des ombres.

C'était l'automne, la saison rousse. Les feuilles voltigeaient sur les gazons comme des volées d'oiseaux. On sentait traîner dans l'air des odeurs de terre humide, de terre dévêtue, comme on sent une odeur de chair nue, quand tombe, après le bal, la robe d'une femme.

Un soir, dans une fête, au dernier printemps, Mme d'Avancelles

1. **Il l'avait ardemment poursuivie :** il lui avait fait une cour pressante.
2. **Pour elle :** en son honneur.
3. **Un certain air engageant :** un certain air prometteur.

avait répondu à M. de Croissard qui la harcelait de ses prières : « Si je dois tomber[4], mon ami, ce ne sera pas avant la chute des feuilles. J'ai trop de choses à faire cet été pour avoir le temps. » Il s'était souvenu de cette parole rieuse et hardie ; et, chaque jour, il insistait davantage, chaque jour il avançait ses approches, il gagnait un pas dans le cœur de la belle audacieuse qui ne résistait plus, semblait-il, que pour la forme[5].

Une grande chasse allait avoir lieu. Et, la veille, Mme Berthe avait dit, en riant, au baron : « Baron, si vous tuez la bête, j'aurai quelque chose pour vous. »

Dès l'aurore, il fut debout pour reconnaître où le solitaire[6] s'était baugé[7]. Il accompagna ses piqueurs[8], disposa les relais, organisa tout lui-même pour préparer son triomphe ; et, quand les cors sonnèrent le départ, il apparut dans un étroit vêtement de chasse rouge et or, les reins serrés, le buste large, l'œil radieux, frais et fort comme s'il venait de sortir du lit.

Les chasseurs partirent. Le sanglier débusqué fila, suivi des chiens hurleurs, à travers des broussailles ; et les chevaux se mirent à galoper, emportant par les étroits sentiers des bois les amazones[9] et les cavaliers, tandis que, sur les chemins amollis, roulaient sans bruit les voitures qui accompagnaient de loin la chasse.

Mme d'Avancelles, par malice, retint le baron près d'elle, s'attardant, au pas, dans une grande avenue interminablement droite et longue et sur laquelle quatre rangs de chênes se repliaient comme une voûte.

Frémissant d'amour et d'inquiétude, il écoutait d'une oreille le bavardage moqueur de la jeune femme, et de l'autre il suivait le chant des cors et la voix des chiens qui s'éloignaient.

— Vous ne m'aimez donc plus ? disait-elle.

Il répondait : « Pouvez-vous dire des choses pareilles ? »

Elle reprenait : « La chasse cependant semble vous occuper plus que moi. »

Il gémissait : « Ne m'avez-vous point donné l'ordre d'abattre moi-même l'animal ? »

4. **Si je dois tomber :** si je dois devenir votre maîtresse.
5. **Que pour la forme :** que pour faire semblant, que pour sauver les apparences.
6. **Le solitaire :** le sanglier (mâle).
7. **Baugé :** logé ; la bauge est le refuge, le logement d'un sanglier.
8. **Piqueurs :** ceux qui poursuivent le sanglier, à cheval, et le conduisent vers les chasseurs.
9. **Amazones :** cavalières.

Et elle ajoutait gravement : « Mais j'y compte. Il faut que vous le tuiez devant moi. »

Alors il frémissait sur sa selle, piquait son cheval qui bondissait, et, perdant patience : « Mais sacristi[10] ! madame, cela ne se pourra pas si nous restons ici. »

Puis elle lui parlait tendrement, posant la main sur son bras, ou flattant, comme par distraction, la crinière de son cheval.

Et elle lui jetait, en riant : « Il faut que cela soit, pourtant... ou alors... tant pis pour vous. »

Puis ils tournèrent à droite dans un petit chemin couvert, et soudain, pour éviter une branche qui barrait la route, elle se pencha sur lui, si près qu'il sentit sur son cou le chatouillement des cheveux. Alors brutalement il l'enlaça, et, appuyant sur la tempe ses grandes moustaches, il la baisa d'un baiser furieux.

Elle ne remua point d'abord, restant ainsi sous cette caresse emportée ; puis, d'une secousse, elle tourna la tête, et soit hasard, soit volonté, ses petites lèvres à elle rencontrèrent ses lèvres à lui, sous leur cascade de poils blonds.

Alors, soit confusion, soit remords, elle cingla le flanc de son cheval[11], qui partit au grand galop. Ils allèrent ainsi longtemps, sans échanger même un regard.

Le tumulte[12] de la chasse se rapprochait ; les fourrés semblaient frémir, et tout à coup, brisant les branches, couvert de sang, secouant les chiens qui s'attachaient à lui, le sanglier passa.

Alors le baron, poussant un rire de triomphe, cria : « Qui m'aime me suive ! » Et il disparut dans les taillis, comme si la forêt l'eût englouti.

Quand elle arriva, quelques minutes plus tard, dans une clairière, il se relevait souillé de boue, la jaquette déchirée, les mains sanglantes, tandis que la bête étendue portait dans l'épaule le couteau de chasse enfoncé jusqu'à la garde.

La curée se fit aux flambeaux[13] par une nuit douce et mélancolique. La lune jaunissait la flamme rouge des torches qui embrumaient la nuit de leur fumée résineuse. Les chiens mangeaient les

10. Sacristi : c'est un juron peu marqué qui n'est plus utilisé aujourd'hui.
11. Elle cingla le flanc de son cheval : elle donna un coup de cravache sur le ventre de son cheval.
12. Le tumulte : le grand bruit.
13. La curée se fit aux flambeaux : le découpage de l'animal mort (ou moribond) se fit de nuit, à la lumière des torches.

entrailles puantes du sanglier, et criaient, et se battaient. Et les piqueurs et les gentilshommes chasseurs, en cercle autour de la curée, sonnaient du cor à plein souffle. La fanfare s'en allait dans la nuit claire au-dessus des bois, répétée par les échos perdus des vallées lointaines, réveillant les cerfs inquiets, les renards glapissants et troublant en leurs ébats les petits lapins gris, au bord des clairières.

Les oiseaux de nuit voletaient, effarés, au-dessus de la meute affolée d'ardeur. Et des femmes, attendries par toutes ces choses douces et violentes, s'appuyant un peu au bras des hommes, s'écartaient déjà dans les allées, avant que les chiens eussent fini leur repas.

Tout alanguie par cette journée de fatigue et de tendresse, Mme d'Avancelles dit au baron :

— Voulez-vous faire un tour de parc, mon ami ?

Mais lui, sans répondre, tremblant, défaillant, l'entraîna.

Et, tout de suite, ils s'embrassèrent. Ils allaient au pas, au petit pas, sous les branches presque dépouillées et qui laissaient filtrer la lune ; et leur amour, leurs désirs, leur besoin d'étreinte étaient devenus si véhéments[14] qu'ils faillirent choir au pied d'un arbre.

Les cors ne sonnaient plus. Les chiens épuisés dormaient au chenil. « — Rentrons », dit la jeune femme. Ils revinrent.

Puis, lorsqu'ils furent devant le château, elle murmura d'une voix mourante : « Je suis si fatiguée que je vais me coucher, mon ami. » Et, comme il ouvrait les bras pour la prendre en un dernier baiser, elle s'enfuit, lui jetant comme un adieu : « Non... je vais dormir... Qui m'aime me suive ! »

Une heure plus tard, alors que tout le château silencieux semblait mort, le baron sortit à pas de loup[15] de sa chambre et s'en vint gratter à la porte de son amie. Comme elle ne répondit pas, il essaya d'ouvrir. Le verrou n'était point poussé.

Elle rêvait, accoudée à la fenêtre.

Il se jeta à ses genoux qu'il baisait éperdument à travers la robe de nuit. Elle ne disait rien, enfonçant ses doigts fins, d'une manière caressante, dans les cheveux du baron.

14. **Véhéments :** ardents, forts.

15. **A pas de loup :** sans faire de bruit.

Et soudain, se dégageant comme si elle eût pris une grande résolution, elle murmura de son air hardi, mais à voix basse : « Je vais revenir. Attendez-moi. » Et son doigt, tendu dans l'ombre, montrait au fond de la chambre la tache vague et blanche du lit.

Alors, à tâtons, éperdu, les mains tremblantes, il se dévêtit bien vite et s'enfonça dans les draps frais. Il s'étendit délicieusement, oubliant presque son amie, tant il avait plaisir à cette caresse du linge sur son corps las de mouvement.

Elle ne revenait point, pourtant, s'amusant sans doute à le faire languir. Il fermait les yeux dans un bien-être exquis ; et il rêvait doucement dans l'attente délicieuse de la chose tant désirée. Mais peu à peu ses membres s'engourdirent, sa pensée s'assoupit, devint incertaine, flottante. La puissante fatigue enfin le terrassa ; il s'endormit.

Il dormit du lourd sommeil, de l'invincible sommeil des chasseurs exténués. Il dormit jusqu'à l'aurore[16].

Tout à coup, la fenêtre étant restée entrouverte, un coq, perché dans un arbre voisin, chanta. Alors brusquement, surpris par ce cri sonore, le baron ouvrit les yeux.

Sentant contre lui un corps de femme, se trouvant en un lit qu'il ne reconnaissait pas, surpris et ne se souvenant plus de rien, il balbutia, dans l'effarement du réveil :

— Quoi ? Où suis-je ? Qu'y a-t-il ?

Alors elle, qui n'avait point dormi, regardant cet homme dépeigné, aux yeux rouges, à la lèvre épaisse, répondit, du ton hautain dont elle parlait à son mari :

— Ce n'est rien. C'est un coq qui chante. Rendormez-vous, monsieur, cela ne vous regarde pas.

16. **L'aurore :** le moment où le jour commence juste à se lever.

La parure

C'était une de ces jolies et charmantes filles, nées comme par une erreur du destin, dans une famille d'employés[1]. Elle n'avait pas de dot[2], pas d'espérances[3], aucun moyen d'être connue, comprise, aimée, épousée par un homme riche et distingué ; et elle se laissa marier avec un petit commis[4] du Ministère de l'Instruction publique.

Elle fut simple, ne pouvant être parée[5], mais malheureuse comme une déclassée[6], car les femmes n'ont point de caste ni de race, leur beauté, leur grâce et leur charme leur servant de naissance et de famille. Leur finesse native, leur instinct d'élégance, leur souplesse d'esprit sont leur seule hiérarchie, et font des filles du peuple les égales des plus grandes dames.

Elle souffrait sans cesse, se sentant née pour toutes les délicatesses[7] et tous les luxes. Elle souffrait de la pauvreté de son logement, de la misère des murs, de l'usure des sièges, de la laideur des étoffes. Toutes ces choses, dont une autre femme de sa caste ne se serait même pas aperçue, la torturaient et l'indignaient. La vue de la petite Bretonne qui faisait son humble ménage[8] éveillait en elle des regrets désolés et des rêves éperdus. Elle songeait aux antichambres muettes, capitonnées[9] avec des tentures orientales, éclairées par de hautes torchères[10] de bronze, et aux deux grands valets en culotte courte qui dorment dans les larges fauteuils, assoupis par la chaleur lourde du calorifère. Elle songeait aux grands salons vêtus de soie ancienne, aux meubles fins portant des bibelots[11] inestimables, et aux petits salons coquets, parfumés, faits pour la causerie de cinq heures[12] avec les amis les plus intimes, les hommes connus et recherchés dont toutes les femmes envient et désirent l'attention.

Quand elle s'asseyait, pour dîner, devant la table ronde couverte d'une nappe de trois jours, en face de son mari qui découvrait la soupière en déclarant d'un air enchanté : « Ah ! le bon pot-au-feu[13] ! je ne sais rien de meilleur que cela... », elle songeait aux dîners fins,

1. **Une famille d'employés :** d'un niveau social relativement modeste.
2. **Une dot :** bien qu'apporte une femme qui se marie.
3. **Elle n'avait pas d'espérances :** pas d'héritage en perspective.
4. **Commis :** employé de bureau.
5. **Parée :** embellie par de belles robes ou des bijoux.
6. **Déclassée :** déchue de sa classe sociale.
7. **Délicatesses :** élégances.
8. **Faire son ménage :** nettoyer sa maison.
9. **Capitonnées :** les tentures amortissent les bruits.
10. **Torchères :** candélabres.
11. **Bibelots :** petits objets décoratifs qu'on place sur un meuble ou une cheminée.
12. **La causerie de cinq heures :** les « dames » de la société recevaient dans leur salon de cinq heures à sept heures.
13. **Pot-au-feu :** plat ordinaire en opposition aux dîners fins.

aux argenteries reluisantes, aux tapisseries peuplant les murailles de personnages anciens et d'oiseaux étranges au milieu d'une forêt de féerie ; elle songeait aux plats exquis servis en des vaisselles merveilleuses, aux galanteries[14] chuchotées et écoutées avec un sourire de sphynx[15] tout en mangeant la chair rose d'une truite ou des ailes de gélinotte[16].

Elle n'avait pas de toilettes[17], pas de bijoux, rien. Et elle n'aimait que cela ; elle se sentait faite pour cela. Elle eût tant désiré plaire, être enviée, être séduisante[18] et recherchée.

Elle avait une amie riche, une camarade de couvent qu'elle ne voulait plus aller voir, tant elle souffrait en revenant. Et elle pleurait pendant des jours entiers, de chagrin, de regret, de désespoir et de détresse[19].

Or, un soir, son mari rentra, l'air glorieux et tenant à la main une large enveloppe.

— Tiens, dit-il, voici quelque chose pour toi.

Elle déchira vivement le papier et en tira une carte imprimée qui portait ces mots :

« Le Ministre de l'Instruction publique et Madame Georges Ramponneau prient M. et Mme Loisel de leur faire l'honneur de venir passer la soirée à l'hôtel du Ministère[20], le lundi 18 janvier. »

Au lieu d'être ravie[21], comme l'espérait son mari, elle jeta avec dépit[22] l'invitation sur la table, murmurant :

— Que veux-tu que je fasse de cela ?

— Mais, ma chérie, je pensais que tu serais contente. Tu ne sors jamais, et c'est une occasion, cela, une belle ! J'ai eu une peine infinie à l'obtenir. Tout le monde en veut ; c'est très recherché[23] et on n'en donne pas beaucoup aux employés. Tu verras là tout le monde officiel.

Elle le regardait d'un œil irrité, et elle déclara avec impatience ;

— Que veux-tu que je me mette sur le dos[24] pour aller là ?

Il n'y avait pas songé ; il balbutia :

— Mais la robe avec laquelle tu vas au théâtre. Elle me semble très bien, à moi...

14. **Galanteries :** petits mots doux, phrases galantes.
15. **Sphynx :** personne énigmatique. Dans cette société, la règle du jeu pour la femme courtisée est de ne manifester aucune réaction.
16. **Gélinotte :** poule des bois, gibier recherché.
17. **Toilettes :** robes élégantes.
18. **Etre séduisante :** plaire aux hommes.
19. **Détresse :** sentiment d'abandon, situation malheureuse.
20. **L'hôtel du Ministère :** au Ministère.
21. **Ravie :** contente.
22. **Dépit :** chagrin causé par une contrariété.
23. **Recherché :** rare, difficile à obtenir.
24. **Que veux-tu que je me mette sur le dos ?** (fam.) : comment veux-tu que je m'habille ? Mme Loisel n'a pas de robe assez belle pour assister à cette soirée.

Il se tut, stupéfait, éperdu[25], en voyant que sa femme pleurait. Deux grosses larmes descendaient lentement des coins des yeux vers les coins de la bouche ; il bégaya :

— Qu'as-tu ? qu'as-tu ?

Mais, par un effort violent, elle avait dompté[26] sa peine et elle répondit d'une voix calme en essuyant ses joues humides :

— Rien. Seulement je n'ai pas de toilette et par conséquent je ne peux aller à cette fête. Donne ta carte à quelque collègue dont la femme sera mieux nippée[27] que moi.

Il était désolé. Il reprit :

— Voyons, Mathilde. Combien cela coûterait-il, une toilette convenable, qui pourrait te servir encore en d'autres occasions, quelque chose de très simple ?

Elle réfléchit quelques secondes, établissant ses comptes et songeant aussi à la somme qu'elle pouvait demander sans s'attirer un refus immédiat et une exclamation effarée du commis économe.

Enfin, elle répondit en hésitant :

— Je ne sais pas au juste, mais il me semble qu'avec quatre cents francs je pourrais arriver.

Il avait un peu pâli, car il réservait juste cette somme pour acheter un fusil et s'offrir des parties de chasse, l'été suivant, dans la plaine de Nanterre, avec quelques amis qui allaient tirer des alouettes[28], par là, le dimanche.

Il dit cependant :

— Soit, je te donne quatre cents francs. Mais tâche[29] d'avoir une belle robe.

Le jour de la fête approchait et Mme Loisel semblait triste, inquiète, anxieuse. Sa toilette était prête cependant. Son mari lui dit un soir :

— Qu'as-tu ? Voyons, tu es toute drôle[30] depuis trois jours.

Et elle répondit :

— Cela m'ennuie[31] de n'avoir pas un bijou, pas une pierre[32], rien à mettre sur moi. J'aurai l'air misère[33] comme tout. J'aimerais presque mieux ne pas aller à cette soirée.

25. Éperdu : très troublé.
26. Dompté : dominé.
27. Mieux nippée que moi (fam.) : mieux habillée que moi.
28. Tirer des alouettes : chasser des oiseaux.
29. Tâche : essaie, efforce-toi.
30. Toute drôle : bizarre.
31. Cela m'ennuie : cela me contrarie.
32. Une pierre : une pierre précieuse : diamant, topaze, émeraude.
33. L'air misère : l'air pauvre.

Il reprit :

— Tu mettras des fleurs naturelles. C'est très chic en cette saison-ci. Pour dix francs tu auras deux ou trois roses magnifiques.

Elle n'était point convaincue.

— Non... Il n'y a rien de plus humiliant que d'avoir l'air pauvre au milieu des femmes riches.

Mais son mari s'écria :

— Que tu es bête[34] ! Va trouver ton amie Mme Forestier et demande-lui de te prêter des bijoux. Tu es bien assez liée avec elle pour faire cela.

Elle poussa un cri de joie.

— C'est vrai, je n'y avais pas pensé.

Le lendemain, elle se rendit chez son amie et lui conta sa détresse.

Madame Forestier alla vers son armoire à glace, prit un large coffret, l'apporta, l'ouvrit, et dit à Madame Loisel :

— Choisis, ma chère.

Elle vit d'abord des bracelets, puis un collier de perles, puis une croix vénitienne, or et pierreries, d'un admirable travail. Elle essayait les parures[35] devant la glace, hésitait, ne pouvait se décider à les quitter, à les rendre. Elle demandait toujours :

— Tu n'as plus rien d'autre ?

— Mais si. Cherche. Je ne sais pas ce qui peut te plaire.

Tout à coup elle découvrit, dans une boîte de satin noir, une superbe rivière de diamants[36] ; et son cœur se mit à battre d'un désir immodéré. Ses mains tremblaient en la prenant. Elle l'attacha autour de sa gorge, sur sa robe montante, et demeura en extase devant elle-même.

Puis elle demanda, hésitante, pleine d'angoisse :

— Peux-tu me prêter cela, rien que cela ?

— Mais oui, certainement.

Elle sauta au cou de son amie, l'embrassa avec emportement, puis s'enfuit avec son trésor.

Le jour de la fête arriva. Mme Loisel eut un succès. Elle était plus jolie que toutes, élégante, gracieuse, souriante et folle de joie. Tous

34. **Que tu es bête :** tu n'y as pas pensé.
35. **Parures :** colliers, bracelets, broches, etc. garnis de perles ou de pierres précieuses.
36. **Une rivière de diamants :** un collier de diamants.

les hommes la regardaient, demandaient son nom, cherchaient à être présentés[37]. Tous les attachés du cabinet voulaient valser avec elle. Le Ministre la remarqua.

Elle dansait avec ivresse, avec emportement, grisée[38] par le plaisir, ne pensant plus à rien, dans le triomphe de sa beauté, dans la gloire de son succès, dans une sorte de nuage de bonheur fait de tous ces hommages, de toutes ces admirations, de tous ces désirs éveillés, de cette victoire si complète et si douce au cœur des femmes.

Elle partit vers quatre heures du matin. Son mari, depuis minuit, dormait dans un petit salon désert avec trois autres messieurs dont les femmes s'amusaient beaucoup.

Il lui jeta sur les épaules les vêtements qu'il avait apportés pour la sortie, modestes vêtements de la vie ordinaire, dont la pauvreté jurait[39] avec l'élégance de la toilette de bal. Elle le sentit et voulut s'enfuir, pour ne pas être remarquée par les autres femmes qui s'enveloppaient de riches fourrures.

Loisel la retenait :

— Attends donc. Tu vas attraper froid dehors. Je vais appeler un fiacre[40].

Mais elle ne l'écoutait point et descendait rapidement l'escalier. Lorsqu'ils furent dans la rue, ils ne trouvèrent pas de voiture ; et ils se mirent à chercher, criant après les cochers qu'ils voyaient passer de loin.

Ils descendaient vers la Seine, désespérés, grelottants[41]. Enfin, ils trouvèrent sur le quai un de ces vieux coupés[42] noctambules qu'on ne voit dans Paris que la nuit venue, comme s'ils eussent été honteux de leur misère pendant le jour.

Il les ramena jusqu'à leur porte, rue des Martyrs, et ils remontèrent tristement chez eux. C'était fini pour elle. Et il songeait, lui, qu'il lui faudrait être au Ministère à dix heures.

Elle ôta les vêtements dont elle s'était enveloppé les épaules, devant la glace, afin de se voir encore une fois dans sa gloire. Mais soudain, elle poussa un cri. Elle n'avait plus sa rivière autour du cou.

Son mari, à moitié dévêtu déjà, demanda :

37. **A être présentés :** à faire connaître leur nom, à lui parler.
38. **Grisée :** enivrée, troublée.
39. **Jurait :** détonnait, faisait contraste.
40. **Un fiacre :** une voiture de louage tirée par un cheval.
41. **Grelottants :** tremblants de froid.
42. **Coupé :** voiture fermée à quatre roues.

— Qu'est-ce que tu as ?

Elle se tourna vers lui, affolée :

— J'ai... j'ai... je n'ai plus la rivière de Madame Forestier.

Il se dressa éperdu :

— Quoi !... Comment !... Ce n'est pas possible !

Et ils cherchèrent dans les plis de la robe, dans les plis du manteau, dans les poches, partout. Ils ne la trouvèrent point.

Il demandait :

— Tu es sûre que tu l'avais encore en quittant le bal ?

— Oui, je l'ai touchée dans le vestibule du Ministère.

— Mais si tu l'avais perdue dans la rue, nous l'aurions entendue tomber. Elle doit être dans le fiacre.

— Oui, c'est probable. As-tu pris le numéro ?

— Non. Et toi, tu ne l'as pas regardé ?

— Non.

Ils se contemplaient atterrés[43]. Enfin, Loisel se rhabilla.

— Je vais, dit-il, refaire tout le trajet que nous avons fait à pied, pour voir si je ne la retrouverai pas.

Et il sortit. Elle demeura en toilette de soirée, sans force pour se coucher, abattue[44] sur une chaise, sans feu[45], sans pensée.

Son mari rentra vers sept heures. Il n'avait rien trouvé.

Il se rendit à la Préfecture de Police, aux journaux pour faire promettre une récompense, aux compagnies de petites voitures, partout enfin où un soupçon d'espoir le poussait.

Elle attendit tout le jour, dans le même état d'effarement[46] devant cet affreux désastre.

Loisel revint le soir, avec la figure creusée, pâlie ; il n'avait rien découvert.

— Il faut, dit-il, écrire à ton amie que tu as brisé la fermeture de sa rivière et que tu la fais réparer. Cela nous donnera le temps de nous retourner.

Elle écrivit sous sa dictée.

Au bout d'une semaine, ils avaient perdu toute espérance...

Et Loisel, vieilli de cinq ans, déclara :

43. **Ils se contemplaient atterrés :** ils se regardaient consternés, accablés.
44. **Abattue :** anéantie.
45. **Sans feu :** sans réaction.
46. **Dans le même état d'effarement :** l'air égaré.

— Il faut aviser à remplacer ce bijou.

Ils prirent, le lendemain, la boîte qui l'avait renfermé, et se rendirent chez le joaillier[47], dont le nom se trouvait dedans. Il consulta ses livres :

— Ce n'est pas moi, madame, qui ai vendu cette rivière ; j'ai dû seulement fournir l'écrin[48].

Alors, ils allèrent de bijoutier en bijoutier, cherchant une parure pareille à l'autre, consultant leurs souvenirs, malades tous deux de chagrin et d'angoisse.

Ils trouvèrent dans une boutique du Palais Royal, un chapelet de diamants qui leur parut entièrement semblable à celui qu'ils cherchaient. Il valait quarante mille francs. On le leur laisserait à trente-six mille.

Ils prièrent donc le joaillier de ne pas le vendre avant trois jours. Et ils firent condition[49] qu'on le reprendrait pour trente-quatre mille francs si le premier était retrouvé avant la fin de février.

Loisel possédait dix-huit mille francs que lui avait laissé son père. Il emprunterait le reste.

Il emprunta dix mille francs à l'un, cinq cents à l'autre, cinq louis[50] par-ci, trois louis par-là. Il fit des billets[51], prit des engagements ruineux, eut affaire aux usuriers[52], à toutes les races de prêteurs. Il compromit toute la fin de son existence, risqua sa signature sans savoir même s'il pourrait y faire honneur, et, épouvanté par les angoisses de l'avenir, par la noire misère qui allait s'abattre sur lui, par la perspective de toutes les privations physiques et de toutes les tortures morales, il alla chercher la rivière nouvelle, en déposant sur le comptoir du marchand trente-six mille francs.

Quand Mme Loisel reporta la parure à Mme Forestier, celle-ci lui dit, d'un air froissé[53] :

— Tu aurais dû me la rendre plus tôt, car je pouvais en avoir besoin.

Elle n'ouvrit pas l'écrin, ce que redoutait son amie. Si elle s'était aperçue de la substitution, qu'aurait-elle pensé ? Qu'aurait-elle dit ? Ne l'aurait-elle pas prise pour une voleuse ?

47. **Joaillier :** bijoutier.
48. **L'écrin :** l'étui, le coffret.
49. **Ils firent condition :** ils mirent comme condition.
50. **Le louis :** un louis est une monnaie d'or de 20 francs.
51. **Billet :** écrit par lequel on s'engage à payer une somme à une date donnée.
52. **Usuriers :** gens malhonnêtes qui prêtent de l'argent à un taux excessif.
53. **Froissé :** mécontent, fâché.

Mme Loisel connut la vie horrible des nécessiteux[54]. Elle prit son parti[55], d'ailleurs, tout d'un coup, héroïquement. Il fallait payer cette dette effroyable. Elle payerait. On renvoya la bonne[56], on changea de logement; on loua sous les toits une mansarde[57].

Elle connut les gros travaux de ménage, les odieuses besognes de la cuisine. Elle lava la vaisselle, usant ses ongles roses sur les poteries grasses et le fond des casseroles. Elle savonna le linge sale, les chemises et les torchons, qu'elle faisait sécher sur une corde; elle descendit à la rue chaque matin, les ordures, et monta l'eau, s'arrêtant à chaque étage pour souffler. Et, vêtue comme une femme du peuple, elle alla chez le fruitier, chez l'épicier, chez le boucher, le panier au bras, marchandant[58], injuriée, défendant sou à sou son misérable argent.

Il fallait chaque mois payer des billets, en renouveler d'autres, obtenir du temps.

Le mari travaillait, le soir, à mettre au net les comptes d'un commerçant, et la nuit, souvent, il faisait de la copie à cinq sous la page.

Et cette vie dura dix ans.

Au bout de dix ans, ils avaient tout restitué, tout avec le taux de l'usure[59], et l'accumulation des intérêts superposés.

Mme Loisel semblait vieille, maintenant. Elle était devenue la femme forte, et dure, et rude, des ménages pauvres. Mal peignée, avec des jupes de travers[60] et les mains rouges, elle parlait haut[61], lavait à grande eau les planchers. Mais parfois, lorsque son mari était au bureau, elle s'asseyait auprès de la fenêtre, et elle songeait à cette soirée d'autrefois, à ce bal où elle avait été si belle et si fêtée.

Que serait-il arrivé si elle n'avait point perdu cette parure? Qui sait? qui sait? Comme la vie est singulière, changeante! Comme il faut peu de chose pour vous perdre ou vous sauver!

Or, un dimanche, comme elle était allée faire un tour aux Champs Élysées pour se délasser des besognes de la semaine, elle aperçut tout à coup une femme qui promenait un enfant. C'était Mme Forestier, toujours jeune, toujours belle, toujours séduisante.

54. **Nécessiteux:** pauvres.
55. **Elle prit son parti:** elle se résigna.
56. **On renvoya la bonne:** on renvoya la domestique.
57. **Une mansarde:** une pièce au plafond bas sous les toits.
58. **Marchandant:** discutant le prix pour obtenir un rabais.
59. **Avec le taux de l'usure:** avec l'intérêt du prêt.
60. **Avec des jupes de travers:** peu soignée dans sa toilette.
61. **Elle parlait haut:** au contraire des salons où l'on parle bas.

Mme Loisel se sentit émue. Allait-elle lui parler ? oui, certes. Et maintenant qu'elle avait payé, elle lui dirait tout. Pourquoi pas ?

Elle s'approcha.

— Bonjour, Jeanne.

L'autre ne la reconnaissait point, s'étonnant d'être appelée ainsi familièrement par cette bourgeoise. Elle balbutia :

— Mais... Madame ! Je ne sais... Vous devez vous tromper.

— Non. Je suis Mathilde Loisel.

Son amie poussa un cri.

— Oh ! ma pauvre Mathilde, comme tu es changée !...

— Oui, j'ai eu des jours bien durs, depuis que je ne t'ai vue, et bien des misères... et cela à cause de toi !...

— De moi... Comment ça ?

— Tu te rappelles bien cette rivière de diamants que tu m'as prêtée pour aller à la fête du Ministère.

— Oui, eh bien ?

— Eh bien, je l'ai perdue.

— Comment ! puisque tu me l'as rapportée.

— Je t'en ai rapporté une autre toute pareille. Et voilà dix ans que nous la payons. Tu comprends que ça n'était pas aisé[62] pour nous, qui n'avions rien... Enfin c'est fini, et je suis rudement contente.

Mme Forestier s'était arrêtée.

— Tu dis que tu as acheté une rivière de diamants pour remplacer la mienne ?

— Oui. Tu ne t'en étais pas aperçue, hein ? Elles étaient bien pareilles.

Et elle souriait d'une joie orgueilleuse et naïve.

Mme Forestier, fort émue, lui prit les deux mains.

— Oh ! ma pauvre Mathilde ! Mais la mienne était fausse. Elle valait au plus cinq cents francs !...

62. **Pas aisé :** pas facile.

Alphonse Daudet

Né en 1840 dans le sud-est de la France, mort en 1897.

Plusieurs romans (dont *Le Petit Chose* en 1868) et, surtout, des recueils de récits (*Les Lettres de mon moulin* en 1869, *Les Contes du Lundi* en 1873) ont connu, depuis plus d'un siècle, un succès considérable. Ils ont d'abord paru dans la presse de l'époque avant d'être réunis en volumes.

Parmi les plus célèbres des *Lettres de mon moulin,* citons *La Chèvre de Monsieur Seguin, La Mule du Pape, Le Curé de Cucugnan, Les Trois messes basses, Le secret de Maître Cornille.* Beaucoup ont donné lieu à des adaptations au cinéma.

Les textes ci-dessous sont extraits eux aussi des *Lettres de mon moulin,* à l'exception de *La dernière classe* qui est extrait des *Contes du Lundi.*

La mort du Dauphin

Le petit Dauphin[1] est malade, le petit Dauphin va mourir... Dans toutes les églises du royaume, le Saint-Sacrement demeure exposé nuit et jour[2] et de grands cierges[3] brûlent pour la guérison de l'enfant royal. Les rues de la vieille résidence[4] sont tristes et silencieuses. Les cloches ne sonnent plus, les voitures vont au pas[5]... Aux abords du palais, les bourgeois curieux regardent, à travers les grilles, les suisses[6] à bedaines[7] dorées qui causent[8] dans les cours d'un air important.

Tout le château est en émoi... Des chambellans[9], des majordomes[10], montent et descendent en courant les escaliers de marbre... Les galeries sont pleines de pages[11] et de courtisans[12] en habits de soie qui vont d'un groupe à l'autre quêter[13] des nouvelles à voix basse... Sur les larges perrons[14], les dames d'honneur éplorées se font de grandes révérences en essuyant leurs yeux avec de jolis mouchoirs brodés.

Dans l'Orangerie[15] il y a nombreuse assemblée[16] de médecins en robe. On les voit à travers les vitres, agiter leurs longues manches noires et incliner doctoralement leurs perruques à marteaux[17]...

Le gouverneur[18] et l'écuyer[19] du petit Dauphin se promènent devant la porte, attendant les décisions de la Faculté[20]. Des marmitons[21] passent à côté d'eux sans les saluer. M. L'écuyer jure comme un païen[22], M. le gouverneur récite des vers d'Horace... Et pendant ce temps-là, là-bas, du côté des écuries, on entend un long hennissement plaintif. C'est l'alezan[23] du petit Dauphin que les palefreniers[24] oublient et qui appelle tristement devant sa mangeoire vide.

Et le Roi ? Où est Monseigneur le Roi ? Le Roi s'est enfermé tout seul dans une chambre, au bout du château... Les Majestés n'aiment pas qu'on les voie pleurer... Pour la Reine, c'est autre chose... Assise au chevet du petit Dauphin, elle a son beau visage baigné de

1. **Le Dauphin :** le fils aîné du Roi de France.
2. **Le Saint-Sacrement demeure exposé nuit et jour :** l'Eucharistie est placée dans une chapelle où des fidèles peuvent prier nuit et jour.
3. **Cierges :** chandelles de cire que l'on fait brûler dans les églises pour demander l'accomplissement d'un vœu ou remercier Dieu de sa réalisation.
4. **Résidence :** ville.
5. **Au pas :** très lentement.
6. **Suisses :** soldats suisses au service du Roi de France depuis le XVe siècle. Il existe encore une garde suisse pontificale à Rome.
7. **Bedaines :** ventres.
8. **Causent :** conversent, parlent entre eux.
9. **Chambellans :** ils s'occupaient de la chambre du Roi.
10. **Majordomes :** chefs des domestiques.
11. **Pages :** jeunes nobles au service d'un prince.
12. **Courtisans :** nobles qui vivent à la cour du Roi.
13. **Quêter :** chercher.
14. **Perrons :** escaliers.

larmes, et sanglote[25] bien haut devant tous comme ferait une drapière[26].

Dans sa couchette de dentelles, le petit Dauphin, plus blanc que les coussins sur lesquels il est étendu, repose, les yeux fermés. On croit qu'il dort ; mais non. Le petit Dauphin ne dort pas ; il se retourne vers sa mère, et voyant qu'elle pleure, il lui dit :

— Madame la Reine, pourquoi pleurez-vous ? Est-ce que vous croyez bonnement[27] que je m'en vais mourir ?

La Reine veut répondre. Les sanglots l'empêchent de parler.

— Ne pleurez donc pas, madame la Reine ; vous oubliez que je suis le Dauphin et que les Dauphins ne peuvent pas mourir ainsi...

La Reine sanglote encore plus fort, et le petit Dauphin commence à s'effrayer.

— Holà, dit-il, je ne veux pas que la mort vienne me prendre et je saurai bien l'empêcher d'arriver jusqu'ici... Qu'on fasse venir sur l'heure quarante lansquenets[28] très forts pour monter la garde autour de notre[29] lit ! Que cent gros canons veillent jour et nuit, mèche allumée, sous nos fenêtres. Et malheur à la mort, si elle ose s'approcher de nous.

Pour complaire à l'enfant royal, la Reine fait un signe. Sur l'heure, on entend les gros canons qui roulent dans la cour ; et quarante grands lansquenets, la pertuisane[30] au poing, viennent se ranger autour de la chambre.

Ce sont de vieux soudards[31] à moustaches grises. Le petit Dauphin bat des mains en les voyant. Il en reconnaît un et l'appelle :

— Lorrain ! Lorrain !

Le soudard fait un pas vers le lit.

— Je t'aime bien, mon vieux Lorrain... Fais voir un peu ton grand sabre... Si la mort veut me prendre, il faudra la tuer, n'est-ce pas ?

Lorrain répond :

— Oui, Monseigneur...

Et il a deux grosses larmes qui coulent sur ses joues tannées[32].

A ce moment, l'aumônier[33] s'approche du petit Dauphin et lui parle longtemps à voix basse en lui montrant le crucifix. Le petit

15. **L'Orangerie :** jardin d'hiver où sont les orangers.
16. **Nombreuse assemblée :** beaucoup de.
17. **Perruques à marteaux :** perruque qui avait une longue boucle entre deux nœuds.
18. **Le gouverneur :** il est chargé de l'éducation d'un jeune prince.
19. **L'écuyer :** noble qui accompagne le prince et porte son écu (bouclier).
20. **La Faculté :** les médecins.
21. **Marmitons :** apprentis-cuisiniers.
22. **Jure comme un païen :** profère des jurons.
23. **Alezan :** cheval de couleur fauve.
24. **Palefreniers :** ceux qui soignent les chevaux.
25. **Sangloter :** pleurer très fort.
26. **Une drapière :** une commerçante qui vend des draps.
27. **Bonnement :** vraiment.
28. **Lansquenets :** soldats allemands mercenaires.
29. **Notre :** pluriel de majesté.
30. **Pertuisane :** hallebarde.
31. **Soudards :** soldats de métier.
32. **Tannées :** couleur brun foncé.
33. **Aumônier :** prêtre à la cour du Roi.

Dauphin l'écoute d'un air fort étonné, puis tout à coup, l'interrompant :

— Je comprends bien ce que vous me dites, monsieur l'Abbé, mais enfin, est-ce que mon petit ami Beppo ne pourrait pas mourir à ma place en lui donnant beaucoup d'argent ?...

L'aumônier continue à parler à voix basse, et le petit Dauphin a l'air de plus en plus étonné.

Quand l'aumônier a fini, le petit Dauphin reprend avec un gros soupir :

— Tout ce que vous me dites là est bien triste, monsieur l'Abbé, mais une chose me console, c'est que là-haut, dans le paradis des étoiles, je vais être encore le Dauphin... Je sais que le bon Dieu est mon cousin et ne peut pas manquer de me traiter selon mon rang.

Puis il ajoute en se tournant vers sa mère :

— Qu'on m'apporte mes plus beaux habits, mon pourpoint d'hermine blanche et mes escarpins de velours[34]. Je veux me faire brave[35] pour les anges et entrer au paradis en costume de Dauphin.

Une troisième fois, l'aumônier se penche vers le petit Dauphin et lui parle longuement à voix basse...

Au milieu de son discours, l'enfant royal l'interrompt avec colère :

— Mais alors, crie-t-il, d'être Dauphin, ce n'est rien du tout !

Et sans vouloir plus rien entendre, le petit Dauphin se tourne vers la muraille, et il pleure amèrement.

34. Pourpoint d'hermine, escarpins de velours : vêtement qui couvrait le torse et chaussures de cérémonie.

35. Je veux me faire brave : je veux me faire beau.

Le sous-préfet aux champs[1]

M. le sous-préfet[2] est en tournée[3]. Cocher devant, laquais derrière, la calèche[4] l'emporte majestueusement au concours régional[5] de la Combe-aux-Fées. Pour cette journée mémorable, M. le sous-préfet a mis son bel habit brodé, son petit claque[6], sa culotte collante à bandes d'argent et son épée de gala à poignée de nacre... Sur ses genoux repose une grande serviette en chagrin gaufré[7] qu'il regarde tristement.

U4 M. le sous-préfet regarde tristement sa serviette en chagrin gaufré : il songe au fameux discours qu'il va falloir prononcer tout à l'heure devant les habitants de la Combe-aux-Fées :

« Messieurs et chers administrés... ».

Mais il a beau tortiller[8] la soie blonde de ses favoris et répéter vingt fois de suite :

« Messieurs et chers administrés... » la suite du discours ne vient pas.

La suite du discours ne vient pas... Il fait si chaud dans cette calèche ! À perte de vue, la route de la Combe-aux-Fées poudroie[9] sous le soleil du Midi... L'air est embrasé[10]... et sur les ormeaux du bord du chemin, tout couverts de poussière blanche, des milliers de cigales se répondent d'un arbre à l'autre... Tout à coup M. le sous-préfet tressaille[11]. Là-bas, au pied d'un coteau, il vient d'apercevoir un petit bois de chênes verts qui semble lui faire signe[12] :

Le petit bois de chênes verts semble lui faire signe :

« Venez donc par ici, monsieur le sous-préfet ; pour composer votre discours, vous serez beaucoup mieux sous mes arbres... ».

M. le sous-préfet est séduit ; il saute à bas de sa calèche et dit à ses gens de l'attendre, qu'il va composer son discours dans le petit bois de chênes verts.

1. **Aux champs :** à la campagne.
2. **Sous-préfet :** fonctionnaire qui administre un arrondissement. Le préfet administre le département formé de plusieurs arrondissements.
3. **Tournée :** voyage professionnel effectué selon un itinéraire fixé à l'avance.
4. **Calèche :** voiture découverte à quatre roues tirées par un cheval que conduit le cocher.
5. **Concours régional** ou **comice agricole :** assemblée de cultivateurs qui étudient les méthodes d'amélioration de l'agriculture et de l'élevage.
6. **Claque :** chapeau haut-de-forme qui peut s'aplatir grâce à un ressort.
7. **Chagrin gaufré :** cuir de chèvre à surface non lisse, en creux et en reliefs.
8. **Tortiller ses favoris :** il tord à plusieurs reprises la barbe qu'il laisse pousser sur les côtés du visage.
9. **Poudroie :** évoque la poussière du chemin.
10. **Embrasé :** extrêmement chaud.
11. **Tressaille :** sursaute sous l'effet de la surprise.
12. **Faire signe :** attirer l'attention de quelqu'un.

Dans le petit bois de chênes verts il y a des oiseaux, des violettes, et des sources sous l'herbe fine... Quand ils ont aperçu M. le sous-préfet avec sa belle culotte et sa serviette en chagrin gaufré, les oiseaux ont eu peur et se sont arrêtés de chanter, les sources n'ont plus osé faire de bruit, et les violettes se sont cachées dans le gazon... Tout ce petit monde-là n'a jamais vu de sous-préfet, et se demande à voix basse quel est ce beau seigneur qui se promène en culotte d'argent.

A voix basse sous la feuillée[13], on se demande quel est ce beau seigneur en culotte d'argent... Pendant ce temps-là, M. le sous-préfet, ravi du silence et de la fraîcheur du bois, relève les pans de son habit, pose son claque sur l'herbe et s'assied dans la mousse[14] au pied d'un jeune chêne; puis il ouvre sur ses genoux sa grande serviette de chagrin gaufré et en tire une large feuille de papier ministre[15].

« C'est un artiste ! dit la fauvette[16].

— Non, dit le bouvreuil[16], ce n'est pas un artiste, puisqu'il a une culotte en argent ; c'est plutôt un prince. »

« C'est plutôt un prince, dit le bouvreuil.

— Ni un artiste, ni un prince, interrompt un vieux rossignol[16] qui a chanté toute une saison dans les jardins de la sous-préfecture... Je sais ce que c'est : c'est un sous-préfet ! »

Et tout le petit bois va chuchotant :

« C'est un sous-préfet ! c'est un sous-préfet !

— Comme il est chauve[17] ! » remarque une alouette[16] à grande huppe[18].

Les violettes demandent :

« Est-ce que c'est méchant ? »

« Est-ce que c'est méchant ? » demandent les violettes.

Le vieux rossignol répond.

« Pas du tout ! »

Et sur cette assurance, les oiseaux se remettent à chanter, les sources à courir, les violettes à embaumer[19], comme si le monsieur n'était pas là... Impassible au milieu de tout ce joli tapage[20], M. le

13. **Sous la feuillée :** à l'abri du feuillage des arbres.
14. **Mousse :** plante vivant en touffes serrées dans les lieux humides.
15. **Papier ministre :** de grand format.
16. **Fauvette, bouvreuil, rossignol, alouette :** petits oiseaux de France.
17. **Chauve :** sans cheveux.
18. **Huppe :** touffe de plumes ornant la tête de certains oiseaux.
19. **Embaumer :** sentir bon.
20. **Impassible au milieu de tout ce joli tapage :** sans se troubler au milieu de ce bruit.

sous-préfet invoque dans son cœur la muse des comices agricoles, et, le crayon levé, commence à déclamer de sa voix de cérémonie[21] :

« Messieurs et chers administrés... ».

« Messieurs et chers administrés », dit le sous-préfet de sa voix de cérémonie...

Un éclat de rire l'interrompt ; il se retourne et ne voit rien qu'un gros pivert[22] qui le regarde en riant, perché sur son claque. Le sous-préfet hausse les épaules et veut continuer son discours ; mais le pivert l'interrompt encore et lui crie de loin :

« À quoi bon ?

— Comment ! À quoi bon ? » dit le sous-préfet, qui devient tout rouge ; et, chassant d'un geste cette bête effrontée[23], il reprend de plus belle[24] :

« Messieurs et chers administrés... »

« Messieurs et chers administrés... » a repris le sous-préfet de plus belle.

Mais alors, voilà les petites violettes qui se haussent vers lui sur le bout de leurs tiges et qui lui disent doucement :

« Monsieur le sous-préfet, sentez-vous comme nous sentons bon ? »

Et les sources lui font sous la mousse une musique divine ; et dans les branches, au-dessus de sa tête, des tas de fauvettes viennent lui chanter leurs plus jolis airs : et tout le petit bois conspire[25] pour l'empêcher de composer son discours.

Tout le petit bois conspire pour l'empêcher de composer son discours... M. le sous-préfet, grisé de parfums, ivre de musique, essaie vainement de résister au nouveau charme qui l'envahit. Il s'accoude sur l'herbe, dégrafe[26] son bel habit, balbutie encore deux ou trois fois :

« Messieurs et chers administrés... Messieurs et chers admi... Messieurs et chers... »

Puis il envoie les administrés au diable ; et la muse des comices agricoles n'a plus qu'à se voiler la face[27].

Voile ta face, ô muse des comices agricoles ! ... Lorsque, au bout

21. **Déclamer de sa voix de cérémonie :** parler avec emphase, sans naturel, comme dans une cérémonie.
22. **Pivert :** oiseau pic vert et jaune à tête rouge.
23. **Effrontée :** trop hardie, impudente.
24. **De plus belle :** plus que jamais, encore plus.
25. **Une conspiration :** une entente secrète.
26. **Dégrafe :** défait, déboutonne.
27. **Se voiler la face :** se couvrir d'un voile pour ne pas voir.

d'une heure, les gens de la sous-préfecture, inquiets de leur maître, sont entrés dans le petit bois, ils ont vu un spectacle qui les a fait reculer d'horreur… M. le sous-préfet était couché sur le ventre, dans l'herbe, débraillé comme un bohême. Il avait mis son habit bas[28]… et, tout en mâchonnant des violettes, M. le sous-préfet faisait des vers.

28. **Il avait mis son habit bas :** il avait ôté son habit.

Le portefeuille de Bixiou

Un matin du mois d'octobre, quelques jours avant de quitter Paris, je vis arriver chez moi, — pendant que je déjeunais, — un vieil homme en habit râpé[1], cagneux[2], crotté[3], l'échine basse[4], grelottant sur ses longues jambes comme un échassier[5] déplumé. C'était Bixiou. Oui, Parisiens, votre Bixiou, le féroce et charmant Bixiou, ce railleur enragé[6] qui vous a tant réjouis depuis quinze ans avec ses pamphlets[7] et ses caricatures... Ah ! le malheureux, quelle détresse ! Sans une grimace qu'il fit en entrant, jamais je ne l'aurais reconnu.

La tête inclinée sur l'épaule, sa canne aux dents comme une clarinette, l'illustre et lugubre farceur[8] s'avança jusqu'au milieu de la chambre et vint se jeter contre ma table en disant d'une voix dolente[9] :

— Ayez pitié d'un pauvre aveugle !...

C'était si bien imité que je ne pus m'empêcher de rire. Mais lui, très froidement :

— Vous croyez que je plaisante... regardez mes yeux.

Et il tourna vers moi deux grandes prunelles blanches sans regard.

— Je suis aveugle, mon cher, aveugle pour la vie... Voilà ce que c'est que d'écrire avec du vitriol. Je me suis brûlé les yeux à ce joli métier ; mais là, brûlé à fond... jusqu'aux bobèches[10] ! ajouta-t-il en me montrant ses paupières calcinées[11] où ne restait plus l'ombre d'un cil.

J'étais si ému que je ne trouvai rien à lui dire. Mon silence l'inquiéta.

— Vous travaillez ?

— Non, Bixiou, je déjeune. Voulez-vous en faire autant ?

Il ne répondit pas, mais au frémissement de ses narines, je vis bien qu'il mourait d'envie d'accepter. Je le pris par la main, et je le fis asseoir près de moi.

Pendant qu'on le servait, le pauvre diable flairait la table avec un petit rire :

1. **Râpé :** usé.
2. **Cagneux :** très maigre.
3. **Crotté :** plein de boue.
4. **L'échine basse :** le dos courbé.
5. **Un échassier :** un oiseau à longues pattes (comme le héron ou la cigogne).
6. **Railleur enragé :** sans cesse en train de se moquer.
7. **Pamphlet :** discours moqueur.
8. **Farceur :** auteur de plaisanterie.
9. **Dolente :** plaintive, triste.
10. **Bobèches :** petits récipients mis sur les bougies pour recueillir la cire fondue.
11. **Calcinées :** brûlées.

— Ça a l'air bon tout ça. Je vais me régaler ; il y a si longtemps que je ne déjeune plus ! Un pain d'un sou tous les matins, en courant les ministères... car, vous savez, je cours les ministères, maintenant ; c'est ma seule profession. J'essaie d'accrocher un bureau de tabac[12]... Qu'est-ce que vous voulez ? il faut qu'on mange à la maison. Je ne peux plus dessiner ; je ne peux plus écrire... Dicter ?... Mais quoi ?... Je n'ai rien dans la tête ; moi ; je n'invente rien. Mon métier, c'était de voir les grimaces de Paris et de les faire ; à présent il n'y a plus moyen... Alors j'ai pensé à un bureau de tabac ; pas sur les boulevards bien entendu. Je n'ai pas droit à cette faveur, n'étant ni mère de danseuse, ni veuve d'officier supérieur. Non ! simplement un petit bureau de province, quelque part bien loin, dans un coin des Vosges[13]. J'aurai une forte pipe en porcelaine ; je m'appellerai Hans ou Zébédé[14], comme dans Erckmann-Chatrian, et je me consolerai de ne plus écrire en faisant des cornets de tabac avec les œuvres de mes contemporains.

« Voilà tout ce que je demande. Pas grand-chose, n'est-ce pas ?... Eh bien, c'est le diable[15] pour y arriver... Pourtant les protections ne devraient pas me manquer. J'étais très lancé autrefois. Je dînais chez le maréchal, chez le prince, chez les ministres ; tous ces gens-là voulaient m'avoir parce que je les amusais ou qu'ils avaient peur de moi. A présent, je ne fais plus peur à personne. O mes yeux ! mes pauvres yeux ! Et l'on ne m'invite nulle part. C'est si triste une tête d'aveugle à table... Passez-moi le pain, je vous prie... Ah ! les bandits ! ils me l'auront fait payer cher ce malheureux bureau de tabac. Depuis six mois, je me promène dans tous les ministères avec ma pétition[16]. J'arrive le matin, à l'heure où l'on allume les poêles et où l'on fait faire un tour aux chevaux de Son Excellence sur le sable de la cour ; je ne m'en vais qu'à la nuit, quand on apporte les grosses lampes et que les cuisines commencent à sentir bon...

« Toute ma vie se passe sur les coffres à bois des antichambres. Aussi les huissiers[17] me connaissent, allez ! A l'Intérieur[18], ils m'appellent : « Ce bon monsieur ! » Et moi, pour gagner leur protection, je fais des calembours, ou je dessine d'un trait sur un coin

12. **J'essaie d'accrocher un bureau de tabac :** j'essaie d'obtenir qu'on me donne un bureau de tabac, c'est-à-dire une boutique où l'on vend de quoi fumer. C'est l'État qui attribue les bureaux de tabac, c'est pourquoi Bixiou va dans les Ministères afin d'obtenir un bureau de tabac pour gagner sa vie.
13. **Vosges :** montagne de l'est de la France.
14. **Hans ou Zébédé :** prénoms fréquents dans l'est de la France à cette époque. Zébédé est le nom d'un personnage d'un roman d'Erckmann-Chatrian : deux auteurs écrivant ensemble, originaires de l'est de la France et qui eurent un grand succès au XIXe siècle.
15. **C'est le diable :** c'est difficile.
16. **Ma pétition :** ma demande.
17. **Les huissiers :** employés qui veillent à la porte d'un personnage important pour écarter les visiteurs imprévus.
18. **A l'Intérieur :** au Ministère de l'Intérieur.

de leurs buvards de grosses moustaches qui les font rire... Voilà où j'en suis arrivé après vingt ans de succès tapageurs, voilà la fin d'une vie d'artiste !... Et dire qu'ils sont en France quarante mille galopins à qui notre profession fait venir l'eau à la bouche ! Dire qu'il y a tous les jours, dans les départements, une locomotive qui chauffe pour nous apporter des panerées[19] d'imbéciles affamés de littérature et de bruit imprimé !... Ah ! province romanesque, si la misère de Bixiou pouvait te servir de leçon ! »

Là-dessus il se fourra le nez dans son assiette et se mit à manger avidement, sans dire un mot... C'était pitié de le voir faire. A chaque minute, il perdait son pain, sa fourchette, tâtonnait pour trouver son verre... Pauvre homme ! il n'avait pas encore l'habitude.

Au bout d'un moment, il reprit :

— Savez-vous ce qu'il y a encore de plus horrible pour moi ? C'est de ne plus pouvoir lire mes journaux. Il faut être du métier pour comprendre cela... Quelquefois le soir, en rentrant, j'en achète un, rien que pour sentir cette odeur de papier humide et de nouvelles fraîches... C'est si bon ! et personne pour me les lire ! Ma femme pourrait bien, mais elle ne veut pas : elle prétend qu'on trouve dans les faits divers des choses qui ne sont pas convenables... Ah ! ces anciennes maîtresses, une fois mariées, il n'y a pas plus bégueules[20] qu'elles. Depuis que j'en ai fait Mme Bixiou, celle-là s'est crue obligée de devenir bigote, mais à un point !... Est-ce qu'elle ne voulait pas me faire frictionner les yeux avec l'eau de la Salette[21] ! Et puis, le pain bénit, les quêtes, la Sainte-Enfance, les petits Chinois[22], que sais-je encore ?... Nous sommes dans les bonnes œuvres jusqu'au cou... Ce serait cependant une bonne œuvre de me lire mes journaux. Eh bien, non, elle ne veut pas... Si ma fille était chez nous, elle me les lirait, elle ; mais, depuis que je suis aveugle, je l'ai fait entrer à Notre-Dame-des-Arts[23], pour avoir une bouche de moins à nourrir...

« Encore une qui me donne de l'agrément, celle-là ! Il n'y a pas neuf ans qu'elle est au monde, elle a déjà eu toutes les maladies... Et triste ! et laide ! plus laide que moi, si c'est possible... un monstre !...

19. **Panerées :** paniers ; *ici :* grande quantité.
20. **Bégueules :** pudibondes.
21. **La Salette :** fontaine dont on pensait que l'eau avait des propriétés miraculeuses pour soigner les yeux.
22. **La Sainte-Enfance, les petits Chinois :** organisations de charité.
23. **Notre-Dame-des-Arts :** établissement religieux.

Que voulez-vous ? je n'ai jamais su faire que des charges... Ah ça, mais je suis bon, moi, de vous raconter mes histoires de famille. Qu'est-ce que cela peut vous faire à vous ?... Allons, donnez-moi encore un peu de cette eau-de-vie. Il faut que je me mette en train. En sortant d'ici je vais à l'Instruction publique[24], et les huissiers n'y sont pas faciles à dérider. C'est tous d'anciens professeurs.

Je lui versai son eau-de-vie. Il commença à la déguster par petites fois, d'un air attendri... Tout à coup, je ne sais quelle fantaisie le piquant, il se leva, son verre à la main, promena un instant autour de lui sa tête de vipère aveugle, avec le sourire aimable du monsieur qui va parler, puis, d'une voix stridente, comme pour haranguer un banquet de deux cents couverts :

— Aux arts ! Aux lettres ! A la presse !

Et le voilà parti sur un toast de dix minutes, la plus folle et la plus merveilleuse improvisation qui soit jamais sortie de cette cervelle de pitre.

Figurez-vous une revue de fin d'année intitulée : le *Pavé des lettres en 186** ; nos assemblées soi-disant littéraires, nos papotages, nos querelles, toutes les cocasseries d'un monde excentrique, fumier d'encre, enfer sans grandeur, où l'on s'égorge, où l'on s'étripe, où l'on se détrousse, où l'on parle intérêts et gros sous bien plus que chez les bourgeois, ce qui n'empêche pas qu'on y meure de faim plus qu'ailleurs ; toutes nos lâchetés, toutes nos misères ; le vieux baron T... de la Tombola s'en allant faire « gna.. gna... gna... » aux Tuileries[25] avec sa sébile[26] et son habit barbeau[27] ; puis nos morts de l'année, les enterrements à réclames, l'oraison funèbre de monsieur le délégué toujours la même : « Cher et regretté ! pauvre cher ! » à un malheureux dont on refuse de payer la tombe ; et ceux qui se sont suicidés, et ceux qui sont devenus fous ; figurez-vous tout cela, raconté, détaillé, gesticulé par un grimacier de génie, vous aurez alors une idée de ce que fut l'improvisation de Bixiou.

Son toast fini, son verre bu, il me demanda l'heure et s'en alla, d'un air farouche, sans me dire adieu... J'ignore comment les huissiers de M. Duruy[28] se trouvèrent de sa visite ce matin-là ; mais

24. L'Instruction publique : le Ministère de l'Instruction publique (aujourd'hui Éducation nationale).
25. Les Tuileries : célèbre bâtiment et jardin de Paris.
26. Une sébile : un petit récipient que les mendiants tendent pour que les passants leur donnent l'aumône.
27. Barbeau : séducteur.
28. M. Duruy : Victor Duruy, Ministre de l'Instruction publique à cette époque (c'est-à-dire le second Empire, sous Napoléon III).

je sais bien que jamais de ma vie je ne me suis senti si triste, si mal en train qu'après le départ de ce terrible aveugle. Mon encrier m'écœurait, ma plume me faisait horreur. J'aurais voulu m'en aller loin, courir, voir des arbres, sentir quelque chose de bon... Quelle haine, grand Dieu ! que de fiel ! quel besoin de baver, sur tout, de tout salir ! Ah ! le misérable...

Et j'arpentais ma chambre avec fureur, croyant toujours entendre le ricanement de dégoût qu'il avait eu en me parlant de sa fille.

Tout à coup, près de la chaise où l'aveugle s'était assis, je sentis quelque chose rouler sous mon pied. En me baissant, je reconnus son portefeuille, un gros portefeuille luisant, à coins cassés, qui ne le quitte jamais et qu'il appelle en riant sa poche à venin[29]. Cette poche, dans notre monde, était aussi renommée que les fameux cartons de M. de Girardin[30]. On disait qu'il y avait des choses terribles là-dedans... L'occasion se présentait belle pour m'en assurer. Le vieux portefeuille, trop gonflé, s'était crevé en tombant, et tous les papiers avaient roulé sur le tapis ; il me fallut les ramasser l'un après l'autre...

Un paquet de lettres écrites sur du papier à fleurs, commençant toutes : *Mon cher papa,* et signées : *Céline Bixiou des Enfants de Marie.*

D'anciennes ordonnances pour des maladies d'enfants : croup, convulsions, scarlatine, rougeole... (la pauvre petite n'en avait pas échappé une !)

Enfin une grande enveloppe cachetée d'où sortaient, comme d'un bonnet de fillette, deux ou trois crins jaunes tout frisés ; et sur l'enveloppe, en grosse écriture tremblée, une écriture d'aveugle :

Cheveux de Céline, coupés le 13 mai, le jour de son entrée là-bas.

Voilà ce qu'il y avait dans le portefeuille de Bixiou.

Allons, Parisiens, vous êtes tous les mêmes. Le dégoût, l'ironie, un rire infernal, des blagues féroces, et puis pour finir :... *Cheveux de Céline coupés le 13 mai.*

29. Venin : poison diffusé par la morsure de certains serpents.
30. M. de Girardin : homme politique de l'époque et surtout journaliste à sensation. Les cartons de M. de Girardin sont des dossiers que le journaliste conserve pour pouvoir les utiliser le moment venu. C'est le cas aussi dans la presse d'aujourd'hui.

La dernière classe

Le conte que vous allez lire a été écrit au lendemain du Traité de Francfort qui mettait fin à la guerre franco-prussienne de 1870. Par ce Traité, la France était mutilée de deux de ses plus belles provinces, l'Alsace et la Lorraine. Cette perte fut cruellement ressentie par tous les Français et plus encore par ceux qui étaient ainsi arrachés à la mère patrie.

Parmi ses vains efforts pour assimiler ces deux provinces, le gouvernement allemand avait supprimé l'enseignement du français dans les écoles alsaciennes et lorraines. C'est le récit d'une des dernières classes données par un professeur de français d'un petit village alsacien, que nous offre Alphonse Daudet dans « La dernière classe » (extrait des « Contes du lundi »).

Ce matin-là j'étais très en retard pour aller à l'école et j'avais grand'peur d'être grondé[1], d'autant plus que M. Hamel nous avait dit qu'il nous interrogerait sur les participes, et je n'en savais pas le premier mot[2]. Un moment l'idée me vint de manquer la classe[3] et de prendre ma course à travers champs.

Le temps était si chaud, si clair !

On entendait les merles siffler à la lisière du bois[4], et dans le pré Rippert, derrière la scierie[5], les Prussiens qui faisaient l'exercice[6]. Tout cela me tentait bien plus que la règle des participes ; mais j'eus la force de résister, et je courus bien vite vers l'école.

En passant devant la mairie, je vis qu'il y avait du monde arrêté près du petit grillage aux affiches. Depuis deux ans, c'est de là que nous sont venues toutes les mauvaises nouvelles, les batailles perdues, les réquisitions[7], les ordres de la commandature[8] ; et je pensai sans m'arrêter :

« Qu'est-ce qu'il y a encore ? »

Alors, comme je traversais la place en courant, le forgeron Wachter, qui était là avec son apprenti[9] en train de lire l'affiche, me cria :

1. **J'avais grand'peur d'être grondé :** j'avais peur que le maître me fasse des reproches à cause de mon retard.
2. **Je n'en savais pas le premier mot :** je ne savais pas ma leçon.
3. **Manquer la classe :** ne pas aller à l'école.
4. **La lisière du bois :** la limite, le bord du bois.
5. **Scierie :** lieu où l'on scie le bois.
6. **Les Prussiens qui faisaient l'exercice :** les Allemands faisaient de l'instruction militaire.
7. **Réquisitions :** ordre des autorités qui prennent possession d'un bien (voiture, maison, récolte...).
8. **Commandature :** commandement militaire prussien.
9. **Apprenti :** jeune homme qui apprend un métier.

— Ne te dépêche pas tant, petit ; tu y arriveras toujours assez tôt à ton école !

Je crus qu'il se moquait de moi, et j'entrai tout essoufflé dans la petite cour de M. Hamel.

D'ordinaire[10], au commencement de la classe, il se faisait un grand tapage[11] qu'on entendait jusque dans la rue, les pupitres ouverts, fermés, les leçons qu'on répétait très haut tous ensemble en se bouchant les oreilles pour mieux apprendre, et la grosse règle du maître qui tapait sur les tables :

« Un peu de silence ! »

Je comptais sur tout ce train[12] pour gagner mon banc sans être vu ; mais justement ce jour-là tout était tranquille, comme un matin de dimanche. Par la fenêtre ouverte, je voyais mes camarades déjà rangés à leurs places, et M. Hamel, qui passait et repassait avec la terrible règle en fer sous le bras. Il fallut ouvrir la porte et entrer au milieu de ce grand calme. Vous pensez si j'étais rouge et si j'avais peur !

Eh bien, non. M. Hamel me regarda sans colère et me dit très doucement :

— Va vite à ta place, mon petit Frantz ; nous allions commencer sans toi.

J'enjambai le banc et je m'assis tout de suite à mon pupitre. Alors seulement, un peu remis de ma frayeur, je remarquai que notre maître avait sa belle redingote verte, son jabot plissé fin et la calotte de soie noire brodée[13] qu'il ne mettait que les jours d'inspection ou de distribution de prix. Du reste, toute la classe avait quelque chose d'extraordinaire et de solennel. Mais ce qui me surprit le plus, ce fut de voir au fond de la salle, sur les bancs qui restaient vides d'habitude, des gens du village assis et silencieux comme nous : le vieux Hauser avec son tricorne[14], l'ancien maire, l'ancien facteur[15] et puis d'autres personnes encore. Tout ce monde-là paraissait triste ; et Hauser avait apporté un vieil abécédaire mangé aux bords[16] qu'il tenait grand ouvert sur ses genoux, avec ses grosses lunettes posées en travers des pages.

10. D'ordinaire : d'habitude, le plus souvent.
11. Un grand tapage : un grand bruit.
12. Train : désordre.
13. Redingote verte... noire brodée : manteau cintré à la taille, pièce de dentelle placée sur le devant de la chemise et petit bonnet rond, utilisés le dimanche et les jours de fête.
14. Tricorne : chapeau à trois pointes.
15. Le facteur : il distribue les lettres.
16. Abécédaire mangé aux bords : vieux livre pour apprendre à lire.

Pendant que je m'étonnais de tout cela, M. Hamel était monté dans la chaire, et de la même voix douce et grave dont il m'avait reçu, il nous dit :

« Mes enfants, c'est la dernière fois que je vous fais la classe. L'ordre est venu de Berlin de ne plus enseigner que l'allemand dans les écoles de l'Alsace et de la Lorraine... Le nouveau maître arrive demain. Aujourd'hui, c'est votre dernière leçon de français. Je vous prie d'être attentifs. »

Ces quelques paroles me bouleversèrent. Ah ! les misérables, voilà ce qu'ils avaient affiché à la mairie.

Ma dernière leçon de français !...

Et moi qui savais à peine écrire ! Je n'apprendrais donc jamais ! Il faudrait donc en rester là ! Comme je m'en voulais maintenant du temps perdu, des classes manquées à courir les nids[17] ou à faire des glissades sur la Saar[18] ! Mes livres que tout à l'heure encore je trouvais si ennuyeux, si lourds à porter, ma grammaire, mon histoire sainte me semblaient à présent de vieux amis qui me feraient beaucoup de peine à quitter. C'est comme M. Hamel. L'idée qu'il allait partir, que je ne le verrais plus me faisait oublier les punitions, les coups de règle.

Pauvre homme !

C'est en l'honneur de cette dernière classe qu'il avait mis ses beaux habits du dimanche, et maintenant je comprenais pourquoi ces vieux du village étaient venus s'asseoir au bout de la salle. Cela semblait dire qu'ils regrettaient de ne pas y être venus plus souvent, à cette école. C'était aussi comme une façon de remercier notre maître de ses quarante ans de bons services, et de rendre leurs devoirs[19] à la patrie qui s'en allait...

J'en étais là de mes réflexions, quand j'entendis appeler mon nom. C'était mon tour de réciter. Que n'aurais-je pas donné pour pouvoir dire tout au long cette fameuse règle des participes, bien haut, bien clair, sans une faute ; mais je m'embrouillai aux premiers mots, et je restai debout à me balancer dans mon banc, le cœur gros, sans oser lever la tête. J'entendais M. Hamel qui me parlait :

17. **Courir les nids :** pour prendre les œufs ou les petits oiseaux.
18. **Faire des glissades sur la Saar :** en hiver, on glisse sur la rivière gelée.
19. **Rendre leurs devoirs :** saluer, présenter leurs hommages.

« Je ne te gronderai pas mon petit Frantz, tu dois être assez puni… Voilà ce que c'est. Tous les jours on se dit : Bah ! j'ai bien le temps[20]. J'apprendrai demain. Et puis tu vois ce qui arrive… Ah ! ça été le grand malheur de notre Alsace de toujours remettre son instruction à demain. Maintenant ces gens-là sont en droit de nous dire : Comment ! Vous prétendiez être Français, et vous ne savez ni parler ni écrire votre langue !… Dans tout ça, mon pauvre Frantz, ce n'est pas encore toi le plus coupable. Nous avons tous notre bonne part de reproches à nous faire.

« Vos parents n'ont pas assez tenu[21] à vous voir instruits. Ils aimaient mieux vous envoyer travailler à la terre ou aux filatures[22] pour avoir quelques sous de plus[23]. Moi-même n'ai-je rien à me reprocher ? Est-ce que je ne vous ai pas souvent fait arroser mon jardin au lieu de travailler ? Et quand je voulais aller pêcher des truites, est-ce que je me gênais pour vous donner congé[24] ? »

Alors, d'une chose à l'autre, M. Hamel se mit à nous parler de la langue française, disant que c'était la plus belle langue du monde, la plus claire, la plus solide : qu'il fallait la garder entre nous et ne jamais l'oublier, parce que, quand un peuple tombe esclave, tant qu'il tient bien[25] sa langue, c'est comme s'il tenait la clef de sa prison… Puis il prit une grammaire et nous lut notre leçon. J'étais étonné de voir comme je comprenais. Tout ce qu'il disait me semblait facile, facile. Je crois aussi que je n'avais jamais si bien écouté, et que lui non plus n'avait jamais mis autant de patience à ses explications. On aurait dit qu'avant de s'en aller le pauvre homme voulait nous donner tout son savoir, nous le faire entrer dans la tête d'un seul coup.

La leçon finie, on passa à l'écriture. Pour ce jour-là, M. Hamel nous avait préparé des exemples tout neufs, sur lesquels était écrit en belle ronde[26] : « France, Alsace, France, Alsace ». Cela faisait comme des petits drapeaux qui flottaient tout autour de la classe pendus à la tringle[27] de nos pupitres. Il fallait voir comment chacun s'appliquait[28], et quel silence ! On n'entendait rien que le grincement des plumes sur le papier. Un moment, des hannetons[29] entrèrent ;

20. **J'ai bien le temps :** ça ne presse pas.
21. **N'ont pas assez tenu :** n'ont pas eu la volonté.
22. **Filatures :** fabriques où l'on file la laine, la soie, le coton.
23. **Pour avoir quelques sous de plus :** à cette époque les enfants travaillaient pour des salaires très bas.
24. **Donner congé :** donner des vacances, fermer l'école.
25. **Tant qu'il tient bien sa langue :** tant qu'il parle bien sa langue.
26. **Belle ronde :** sorte d'écriture très soignée.
27. **Une tringle :** une barre métallique.
28. **S'appliquer :** écrire avec soin, faire attention.
29. **Hannetons :** gros insectes volants.

mais personne n'y fit attention, pas même les tout petits qui s'appliquaient à tracer leurs bâtons, avec un cœur, une conscience, comme si cela encore était du français... Sur la toiture de l'école, des pigeons roucoulaient tout bas, et je me disais en les écoutant :

« Est-ce qu'on ne va pas les obliger à chanter en allemand, eux aussi ? »

De temps en temps, quand je levais les yeux de dessus ma page, je voyais M. Hamel, immobile dans sa chaire et fixant les objets autour de lui, comme s'il avait voulu emporter dans son regard toute sa petite maison d'école... Pensez ! depuis quarante ans, il était là, à la même place, avec sa cour en face de lui et sa classe toute pareille. Seulement, les bancs, les pupitres s'étaient polis, frottés par l'usage ; les noyers de la cour avaient grandi, et le houblon qu'il avait planté lui-même enguirlandait maintenant les fenêtres jusqu'au toit.

Quel crève-cœur[30] ça devait être pour ce pauvre homme de quitter toutes ces choses et d'entendre sa sœur qui allait, venait, dans la chambre au-dessus, en train de fermer leurs malles ! car ils devaient partir le lendemain, s'en aller du pays pour toujours.

Tout de même il eut le courage de nous faire la classe jusqu'au bout. Après l'écriture, nous eûmes la leçon d'histoire ; ensuite les petits chantèrent tous ensemble le BA BE BI BO BU. Là-bas, au fond de la salle, le vieux Hauser avait mis ses lunettes, et, tenant son abécédaire à deux mains, il épelait les lettres avec eux. On voyait qu'il s'appliquait lui aussi, sa voix tremblait d'émotion, et c'était si drôle de l'entendre, que nous avions tous l'envie de rire et de pleurer. Ah ! je m'en souviendrai de cette dernière classe !...

Tout à coup l'horloge de l'église sonna midi, puis l'Angélus. Au même moment, les trompettes des Prussiens qui revenaient de l'exercice éclatèrent sous nos fenêtres... M. Hamel se leva, tout pâle, dans sa chaire. Jamais il ne m'avait paru si grand.

« Mes amis, dit-il, mes amis, je... je... »

Mais quelque chose l'étouffait[31]. Il ne pouvait pas achever sa phrase.

Alors, il se tourna vers le tableau, prit un morceau de craie, et, en

30. Crève-cœur : peine, chagrin.

31. Quelque chose l'étouffait : l'émotion l'empêchait de parler.

appuyant de toutes ses forces, il écrivit aussi gros qu'il put :
« VIVE LA FRANCE ! »
Puis il resta là, la tête appuyée au mur, et, sans parler, avec sa main il nous faisait signe :
« C'est fini... allez-vous-en. »

Anatole France

Né en 1844, mort en 1924.

Prix Nobel de littérature en 1921.

A pris parti, auprès de Zola, dans l'affaire Dreyfus. Plusieurs de ses romans ont connu un très grand succès et sont constamment réédités : *Le Crime de Sylvestre Bonnard* (1881), *Le Livre de mon ami* (1885), *La Rôtisserie de la Reine Pédauque* (1892), *Crainquebille* (1902), *Les Dieux ont soif* (1912) en sont quelques exemples. Ils ont donné lieu à de nombreuses adaptations cinématographiques et télévisuelles.

Le courage

Louison et Frédéric s'en vont à l'école, par la rue du village. Le soleil rit et les deux enfants chantent. Ils chantent comme le rossignol, parce qu'ils ont comme lui le cœur gai[1]. Ils chantent une vieille chanson qu'ont chantée leurs grands-mères quand elles étaient des petites filles et que chanteront un jour les enfants de leurs enfants ; car les chansons sont de frêles immortelles, elles volent de lèvre en lèvre à travers les âges. Les lèvres, un jour décolorées, se taisent les unes après les autres, et la chanson vole toujours. Il y a des chansons qui nous viennent du temps où tous les hommes étaient bergers et toutes les femmes bergères. C'est pourquoi elles ne parlent que de moutons et de loups.

Louison et Frédéric chantent ; leur bouche est ronde comme une fleur et leur chanson s'élance, aigrelette et claire, dans l'air matinal. Mais voici que soudain le son hésite dans le gosier[2] de Frédéric.

Quelle puissance invisible a donc étranglé la chanson dans la gorge de l'écolier ? — C'est la peur. Chaque jour, il rencontre fatalement au bout de la rue du village le chien du charcutier, et chaque jour il sent à cette vue son cœur se serrer et ses jambes mollir. Pourtant le chien du charcutier ne l'attaque ni ne le menace. Il est paisiblement assis sur le seuil de la boutique de son maître. Mais il est noir et sanglant ; des dents aiguës et blanches lui sortent des babouines[3]. Il est effrayant. Et puis il repose au milieu de chair à pâté et de hachis[4] de toute sorte. Il en semble plus terrible. On sait bien que ce n'est pas lui qui fait tout ce carnage[5], mais il y règne. C'est une bête farouche[6] que le chien du charcutier. Aussi, du plus loin que Frédéric aperçoit l'animal sur le seuil, il saisit une grosse pierre, à l'exemple des hommes qu'il a vus s'armer de la sorte contre les chiens hargneux, et il va rasant le mur[7] opposé à la maison du charcutier. Cette fois encore il en a usé pareillement[8]. Louison s'est moquée de lui.

1. **Ils ont comme lui le cœur gai :** allusion à une vieille chanson populaire : « chante, rossignol chante,/Toi qui as le cœur gai ».
2. **Gosier :** arrière-gorge, organe vocal.
3. **Babouines :** babines, lèvres pendantes du chien.
4. **Hachis :** plat préparé avec de la viande hachée.
5. **Un carnage :** un massacre, mot de la même famille que chair.
6. **Farouche :** cruelle, violente.
7. **Raser un mur :** passer très près, effleurer un mur.
8. **Il en a usé pareillement :** il a fait de même.

Elle ne lui a tenu aucun de ces propos violents auxquels on répond d'ordinaire par des propos plus violents encore. Non, elle ne lui a rien dit : elle n'a pas cessé de chanter. Mais elle a changé de voix et elle s'est mise à chanter d'un ton si railleur[9] que Frédéric en a rougi jusqu'aux oreilles. Alors il se fit un grand travail dans sa petite tête. Il comprit qu'il faut craindre la honte plus encore que le danger. Et il eut peur d'avoir peur.

Aussi, quand, au sortir de l'école, il revit le chien du charcutier, il passa fièrement devant l'animal étonné.

L'histoire ajoute qu'il regarda du coin de l'œil si Louison ne le voyait pas. Il est bien vrai de dire que, s'il n'y avait ni dames ni demoiselles au monde, les hommes seraient moins braves[10].

9. **Railleur :** moqueur.

10. **Brave :** courageux.

Louis Pergaud

Né en 1882, mort en 1915, tué lors de la Première Guerre mondiale, près de Verdun.

Il a obtenu le Prix Goncourt en 1910 avec *De Goupil à Margot* d'où est extrait le texte présenté ici.

La Guerre des Boutons, publié en 1912, est sans doute son livre le plus célèbre. Le film qu'en a tiré Yves Robert, en 1961, porte le même titre et a connu un immense succès.

L'horrible délivrance

La ténèbre était opaque. Rien ne troublait le bourdonnement du dégel. Un soudain déclic de métal faucha comme un andain[1] de silence, et un hurlement qui ne tenait plus de la vie sembla jaillir du néant et déborder dans l'espace comme une cataracte[2] d'horreur crevant les vannes de la nuit... La bête était prise...

Née d'amours fugitives à l'avant-dernier printemps, Fuseline, la petite fouine à la robe gris-brun, au jabot[3] de neige, était, ce jour-là, comme à l'ordinaire, venue de la lisière du bois de hêtres et de charmes où, dans la fourche par le temps creusée d'un vieux poirier moussu, elle avait pris ses quartiers d'hiver.

Depuis que la neige avait fait fuir au loin, en triangulaires caravanes, les migrateurs ailés, elle avait vu ses ressources baisser rapidement, et, pour apaiser sa soif inextinguible[4] de sang, elle avait dû, comme ses sœurs en rapine[5], délaisser les taillis déserts et chercher vers le village la pâture[6] de chaque jour.

Elle y venait tous les soirs, plus prudente ou moins hardie que ses vieilles compagnes qui s'y étaient depuis longtemps arrangé des retraites[7] dans les interstices[8] caverneux des vieilles toitures d'aisseules.

Les temps étaient lointains maintenant où, avec la complicité de la lune rousse, elle grimpait aux petits chênes pour y surprendre, pendant leur sommeil, les merles nouveaux arrivés sur leur couvée d'oisillons : il ne restait plus au bois que quelques vieux sédentaires dont la méfiance, jamais démentie, défiait toute surprise.

Par un trou de carreau cassé, rustiquement rebouché de papier, par la chatière[9] d'une porte ou l'évidement[10] d'un mur bas à l'endroit où posent les poutres, elle était parvenue, certaine nuit, à couler dans la grange d'un fermier son corps vermiforme[11], et de là, tombant par les abat-foin[12] dans le râtelier[13] des vaches, à pénétrer dans l'étable chaude où logeaient les poules.

1. **Andain :** tas, bloc.
2. **Une cataracte :** chute violente d'eau.
3. **Le jabot :** la poitrine.
4. **Inextinguible :** qu'on ne peut arrêter, apaiser.
5. **Une rapine :** un vol.
6. **La pâture :** la nourriture.
7. **Retraites :** refuges.
8. **Interstices :** intervalles.
9. **Une chatière :** un trou percé dans la porte des fermes d'autrefois, pour permettre aux chats d'aller et venir librement.
10. **L'évidement :** le creusement.
11. **Vermiforme :** en forme de ver.
12. **Abat-foin :** ouverture pratiquée dans le plancher d'une étable et par laquelle on jette le foin dans le râtelier.
13. **Le râtelier :** partie de l'étable où les vaches sont attachées et où elles prennent leur nourriture.

Alors elle avait bondi, légère, sur le perchoir où elles s'alignaient juchées sur leurs pattes repliées et les avait saignées jusqu'à la dernière.

Elle tranchait d'un coup de dent, près de l'oreille, la carotide, et pendant que coulait le sang chaud qu'elle suçait voluptueusement, elle maintenait sous ses griffes aiguës comme celles d'un chat la bestiole stupide qu'elle abandonnait tiède, vidée, flasque, dans les derniers sursauts de l'agonie.

Comme l'ivrogne, dédaignant la chair après la beuverie sanglante, ivre-folle de joie, le jabot maculé, la robe poisseuse, le corps gonflé, elle était retournée à son bois, insoucieuse des empreintes dénonciatrices[14] de ses pattes.

Que s'était-il passé dans le laps de temps, court pourtant, durant lequel elle avait cuvé le sang de sa ripaille !

Maintenant les maisons s'étaient toutes refermées comme des citadelles, derrière les murs desquelles grognaient les rudes molosses[15] aux crocs puissants ou bien veillaient, par les nuits de lune, les hommes surgissant géants des embrasures d'ombre pour jeter dans le silence, avec un bref éclair rouge, l'éclatant tonnerre d'un coup de fusil qui faisait battre en retraite, au large, tous les rôdeurs à quatre pattes que la faim avait conduits vers le village.

Les chasses nocturnes se passaient en infructueuses et monotones errances le long des murs des jardins, aux trous des haies des vergers, aux versants des toitures de bois.

Depuis combien de jours durait cette vie de misère ? Mais, cette nuit-là, à la pâle clarté d'une étoile coulant à travers deux nuages comme un rayon de lumière filtré du seuil d'une chaumière aérienne, elle s'était rendue à l'irrésistible invite d'une brèche de mur ; elle avait longé un fouillis desséché de perches à ramer[16] les pois qui rayaient la neige d'une ligne grise, et tout au bout, comme si ces branchages à demi pourris eussent été un providentiel index, elle avait trouvé là, presque confondu à la blancheur de la neige, un gros œuf frais pondu qu'elle avait avidement gobé... Le lendemain elle en trouva un semblable et ainsi plusieurs soirs consécutifs, car chaque

14. **Dénonciatrices :** révélatrices.
15. **Un molosse :** un gros chien.
16. **Perches à ramer :** piquets permettant aux pois de pousser en hauteur.

nuit maintenant elle revenait là quérir son unique pâture. Le reste de la nuit s'achevait en infructueuses recherches, et toujours l'aube tardive de ces matins d'hiver la retrouvait, agile et prudente, tapie dans la fourche caverneuse de sa demeure sylvestre[17].

Le soir était revenu, un soir de dégel au ciel livide chargé de gros nuages : des paquets de neige saturés d'eau s'égouttaient des grands arbres comme le linge d'une immense lessive, ou s'abîmaient[18] sur le sol avec le bruit gras de poches qui crèvent en tombant ; des filets d'eau susurraient[19] de partout ; la terre semblait couvée par une grande aile mystérieuse faite de tiédeurs et de bruissements, et il planait sur tout ceci l'angoisse d'une genèse ou d'une agonie.

A la lucarne grise de la caverne, le petit jabot blanc avait surgi comme une motte de neige silencieusement tombée d'un rameau supérieur, et, se mouvant lentement, Fuseline était descendue à terre.

Vite, vite, car le jour a été long et son estomac est vide, elle suit le chemin coutumier qui l'amène chaque soir : le bout pointu de ses pattes courbes, aux attaches puissantes, frôle à peine la boue grise de neige et de terre détrempée ; sa longue queue touffue se balance légère : elle coupe les sentiers silencieux qui font des barres plus sombres dans la nuit neigeuse ; elle longe les murs d'enclos aux pierres rudes et les haies noires aux chapiteaux blanchâtres, croulants, géantes clepsydres[20] d'où la saison mourante semble s'égoutter ; le sang de l'espoir bat plus fort aux veines de la bête et son désir grandit de la pâture prochaine.

Voici la brèche du mur et les rameaux pourris contre lesquels, comme par mégarde, on a déposé de grosses poutres qui font un unique passage, un étroit canal pour arriver à l'œuf dont la blancheur, ce soir, se détache sur la terre dévêtue de la neige des jours précédents. Elle le voit, elle est sûre de son repas et quelque chose en elle bat plus vite et plus fort. Encore quelques sauts et elle brisera la coquille fragile ; allons ! Et elle s'élance quand, brutalement, les bras impétueux d'un piège, fermant violemment leur étreinte, ont happé dans leur choc terrible la petite patte

17. **Sylvestre :** de la forêt.
18. **S'abîmaient :** s'écrasaient.
19. **Susurraient :** murmuraient.
20. **Clepsydres :** horloges à eau.

aventureuse, et la tiennent prisonnière dans leur formidable étau.

Dans la douleur sans nom de la capture, son cri a jailli, mordant la nuit calme de son épouvantement, tandis qu'à ses côtés d'insidieux[21] frôlements, des chocs brusques, des crépitements de bois dénoncent la retraite précipitée des bêtes sauvages rôdant aux alentours.

La douleur horrible de la patte brisée, des chairs mordues, de la peau déchirée l'a raidie toute dans une convulsion de désespoir pour échapper à cette étreinte. Mais que peut la plus sauvage contraction des muscles contre la poigne implacable des ressorts d'acier !

En vain elle veut les mordre ; mais ses dents reculent devant le froid du métal impitoyable qui les briserait, et comme tout effort violent qui se perd, la douleur qui l'a suscité s'évade en gémissements.

Au loin retentit un coup de feu ; alors elle comprend le piège : l'homme va venir l'achever, et elle ne pourra ni fuir ni se défendre. Et dans la douleur de l'étreinte qui la mord et l'affolement du danger, elle se secoue et se tord dans des convulsions de désespoir.

Le piège reste là, fixé au sol, immobile ; la petite tête se rejette en arrière dans le roidissement de la patte valide qui piétine le sol avec rage, tandis que celles de derrière s'arc-boutent comme des ressorts.

Les reins bandés tirent en arrière, de côté, en avant ; rien ne cède ! rien ne bouge ! une chaîne énorme maintient à un anneau du mur la mâchoire du piège dont les dents de fer font dans sa chair d'horribles morsures, des gouttes de sang s'écoulent qu'elle lèche lentement. Puis, comme si elle abandonnait la lutte après la fatigue de l'effort convulsif, tantôt elle semble se résigner, s'oublier, s'endormir de douleur ou de lassitude, tantôt elle se redresse palpitante d'une vie formidable, vibrant, bondissant, hurlant tout entière pour rompre ou desserrer l'étreinte qui la maintient.

Mais c'est en vain, et le temps fuit, et l'homme peut venir. Bientôt, là-bas, derrière l'épaule chenue du mont neigeux, l'aube va crever : un coq voisin l'annonce par un coquerico métallique qui réveille les bœufs dont sonnent les chaînes dans le silence de la nuit.

Il faut fuir, fuir à tout prix. Et dans une secousse plus violente les

21. **Insidieux :** à peine perceptibles.

os des pattes ont craqué sous la morsure de l'acier. Un effort encore : elle se jette toute de côté, et voici que comme des lances les pointes des os brisés percent sa peau, le moignon[22] qui tient à son poitrail est presque libre. Toute son énergie se condense sur ce but ; ses yeux injectés de sang flamboient comme des rubis, sa gueule écume, son poil est hérissé et sale ; mais les chairs et la peau la tiennent encore comme des cordes qui la lient au piège assassin ; le danger grandit, les coqs se répondent, l'homme va paraître.

Alors, au paroxysme[23] de la douleur et de la peur, frémissante sous la poigne formidable de l'instinct, elle se rue sur sa patte cassée et, à coup de dents précipités, hache, tranche, broie, scie la chair sanglante et pantelante. C'est fini ! Une fibre tient encore : une crispation de reins, un déclic de muscles, et elle se déchire comme un fil sanglant.

L'homme ne l'aura pas.

Et Fuseline, sans même regarder, dans un suprême adieu, son moignon effiloché et rouge qui reste là, planté, pour attester son invincible amour de l'espace et de la vie, ivre de souffrance, mais libre quand même, s'enfonça dans la brume.

22. **Moignon :** ce qui reste de la patte coupée. 23. **Paroxysme :** sommet.

Table des matières

les publications de l'Alliance française

animées par Louis Porcher

COLLECTION

à vous de lire

Ph. Greffet, L. Porcher

Le plaisir de lire et d'écouter les grands textes de la littérature française.

- livre et cassette

En préparation

à vous de lire 2

Stendhal, Victor Hugo, Alphonse Daudet, Jules Renard,...

En préparation

à vous de lire 3

Poèmes :
Ronsard, La Fontaine, Victor Hugo, Charles Baudelaire, Paul Verlaine,...

COLLECTION

débats

Ph. Greffet, L. Porcher

Le point sur les grands problèmes actuels de la diffusion du français.

En préparation

enseigner-diffuser le français : une profession

- autres titres en préparation

COLLECTION

la vie au quotidien

En préparation

Imprimerie Hérissey - Évreux — N° 41316
Dépôt légal N° 3095-11-1986 — Collection N° 31 — Édition N° 01
15/4702/5